集韻

八

集韻 八

五福五代堂古稀天子寶

八徵耄念之寶

太上皇帝之寶

集韻卷之八

翰林學士兼侍讀學士朝請大夫尚書左司郎中知制誥判秘閣兼判太常禮院羣牧使上柱國濟陽郡開國侯食邑二千二百戶賜紫金魚袋臣丁度等奉

敕脩定

去聲下

霰第三十二先見切與綫通　綫第三十三私箭切

嘯第三十四先弔切與笑通　笑第三十五仙妙切

效第三十六後教切獨用　号第三十七後到切獨用

箇第三十八居賀切與過通　過第三十九古卧切

禡第四十莫駕切獨用　漾第四十一弋亮切與宕通

宕第四十二大浪切　映第四十三於慶切與諍勁通

諍第四十四側迸切　勁第四十五堅正切

徑第四十六吉定切獨用　證第四十七諸應切與嶝通

嶝第四十八丁鄧切　宥第四十九尤救切與候幼通

候第五十下遘切　幼第五十一伊謬切

沁第五十二七鴆切獨用　勘第五十三苦紺切與闞通

闞第五十四苦濫切　豔第五十五以贍切與梵驗通

梵第五十六他念切　驗第五十七魚窆切

陷第五十八呼鑑切與鑑梵通　鑑第五十九胡懺切

梵第六十扶泛切

三十二○霰霓覓霹霰先見切說文稷雪也或从見亦作霹霰文十四　先相導前後曰先後　敥

散也𢿒廠博雅庵𢿒舍也或从散鏋瓦器泙洒灑也或作洒軯轉軯車迹䈯竹名誸

衆致言也○蒨茾倉甸切艸盛皃或从千文十茜蒨艸名說文茅蒐也或作蒨通作蒨芊綪說文赤繒也以

茜染故謂之綪輤喪車飾鄭康成說通作綪𧚍襦也一曰美衣帤博雅幧頭也皘白色倩說文人字東齊

壻謂之倩一曰美也一曰無廣隅亦姓精木名谸說文望山谷谸谸青也阡田陌鏋瓦器一曰紡甎篟竹茂皃

淒淸淒洌疾皃或从倩通作倩䑶輕舟謂之䑶箐張竹弓弩曰箐○薦䕃𥢶作甸切說

文獸之所食艸从廌从艸古者神人以廌遺黃帝帝曰何食何處曰食薦夏處水澤冬處松柏或从豕从禾薦一曰進也藉也鼠蓬也文四薦楚謂茷上

居曰薦○荐才甸切說文薦蓆也一曰再也通作洊文十一瀳洊說文水至也或作洊臶薦重也或作薦栫博雅

籬也珔玉名袸爾雅衿謂之袸鏋說文瓦器𨶜門次謂之𨶜存在也○殿丁練切軍前曰啓後曰殿文七

唸㕓𣤯欿說文吚也引詩民之方唸吚或作㕓𣤯欿通作殿瘨病也詩胡寧瘨我以旱沈重讀𥳇博雅擊也

○瑱𦗓顛琠𤩱他甸切說文以玉充耳也引詩玉之瑱兮或从耳从頁亦作琠𤩱文十眹瞋睼視也

集韻去聲八　二　全

或作瞋睼滇滇澱大水𤘤牛食艸○電䨴堂練切說文陰陽激燿古作䨴文四十二殿說文擊聲也

壂博雅堂堭壂也通作殿奠廮說文置祭也从酋酋酒也下其丌也禮有奠祭一曰定也或从厂𡾭山名𠩱

說文待也畃地名在絳甸乘說文天子五百里地也或作乘纐文繒也畋平田也佃說文中也引春秋傳

乘中佃一轅車鈿鏌鑚以寶飾器或作鏌鑚琔璏玉色或从殿𨔶𨔶迸光澤皃錠鐙有足也

淀淺泉澱說文滓垽也䵎黰說文䵎謂之垽垽滓也或作黰靛以藍染也闐于闐國名在西域通

作窴窴填塞也或从土𧽈走也滇入水皃畓墾田皃鄭康成曰畓畓原隰槙木根相迫

緻也詑慢詑訑縱意𧂼𧂼蕃艸名蕪黄也婝女字䘢綻衣坼也或从糸橂木理堅密㕓

呻也屍髀也瑱玉名○練郎甸切說文湅繒也亦姓通作湅文二十六煉說文鑠治金也鍊說文治金

也湅說文𤃬也潄說文辟潄鐵也洌倩洌疾也柬揀敕擇也或从手从攴𤗈析木理

𦅸博雅陳也一曰蝃奠瑓玉名埬墟名在博平僆雞未成也鰊魚名如繩楝欄說文木也或作

欄瓠天瓜也蕀艸名爾雅蕀莧苃瓣瓜中實通作瓠⿺辶柬光皃㜕女字曫日旦昏蘭荔

馬蘭艸名或作茘闌闌雀鳥名○晛⿰日然乃見切日光也或从然文七⿰女然說文人姓也一曰女姿⿰氵刃說文水也

出上黨⿰忄然意難也姩婞美女或作婞○見形甸切顯也曰朝也文十二晛說文見也引詩見晛曰消現

玉光蜆蟲名縊女也涀水名出馮翊⿺辶達無違也莧菜名商陸也睍目小也哯⿰口幵嬰孩飲乳

謂之哯或作⿰口幵梘檢也一曰棺蓋賢車大穿也周禮五分其轂之長去一以爲賢劉昌宗讀○韅⿰革㬎馨甸切駕牛具

在背曰韅或省文四灦水澄深也顯闕人名秦有子顯○⿰糹然人見切然勞也文一○俔俔輕甸切說文譬諭也

一曰聞見引詩俔天之妹或从心文十八撁牽挽也或作牽涀水名出高陵汧水潛出爲池爾雅汧出不流⿱堅黍

⿱臤黍黏也或作⿱緊黍菣⿱艹堅艸名蒿也或从堅蜆蟲名縊女也孫炎說⿰木牽横木韅⿰革㬎駕牛具或

省掔博雅很也啓霽也絭戟屬帣幡係於絭者○見經電切說文視也亦姓文四鋻說文

剛也梘栓也⿱臤黍黍屬○宴伊甸切說文安也通作燕文二十二讌合語也醼合飲也通作讌燕咽

嚥博雅吞也或从燕嬿說文女字也⿱燕日說文星無雲也燕鷰說文玄鳥也籋口布翄枝尾象形或从鳥亦書

作鷰驠說文馬白州也⿰氵隹大水皃⿵門見窺也鷃鶉屬⿰目晏⿰目匽⿰目燕博雅視也或作⿰目匽⿰目燕亦書作⿰目晏⿰燕阝地名

⿱垔水没水中也軀曲身也晏日出清明也曣博雅曣曣溫也歐大呼用力也○硯研硱倪甸

切說文石滑也或作研硱文十趼說文獸足企也⿰足見行不正豣獸名說文獟犬也一曰逐虎犬豻麢也爾雅絶有力豣

齞開口見齒謂之齞䁟濡墨也⿰开頁頨頨狡也○縣熒絹切釋名縣縣也縣於郡也文三十二澴聚流也

寰王者畿内也通作縣眩日光⿰馬玄⿱玄馬馬一歲或作⿱玄馬眩說文目無常主也眴⿹勹目說文目搖也或省

姰博雅狂也迿先也何休說炫明也袨⿰衤旬好衣也或作⿰衤旬⿴行旬衒⿰貝玄說文行且賣也或从玄亦

作⿰貝玄玹玉名⿰玄頁顋後⿵門式試力士錘也从門⿱虎貝獸名似犬駽馬青驪曰駽絹射侯綱紐絢

⿰糹苟采成文也或从苟泫玄泫涽混合也或省通作眩侚廣雅迷也埍隷居也一曰女牢謂之埍⿱罒玄罥也

譞慧也衝車搖也○絢⿰糹苟翾縣切文皃說文引詩素以爲絢兮一曰成也或从苟通作絃文二十眴⿹勹目

[illegible]

目搖也或省夐營求也讂說文流言也諯𧩙相責也一曰數也或从彖抣掏博雅擊也

或从訇𧽢走皃駒駽馬青驪謂之駽或作駒眩瞑眩劇也姰狂也一曰女𡛴矎矎矎目不正迿

先也袀好衣也絃縄也澴流皃○眴熒縣切側視皃孟子眴眴胥讒文十五譞流言懁說文急也

衛車搖也瓬盎下竅䣺釃酒也羂罥說文网也一曰綰也或作罥獧蹮說文疾跳也一

曰急也或从足𧗳衒眩行且賣也或作衒眩埍隸居也一曰亭部梋椀也○䭈饎縈絹切飫也賈思勰

曰飽食不餉或从恚文十二噮噮噮食甘甚也呂氏春秋甘而不噮𧙊袂曲曲剈曲刀睊說文視皃肙小蟲檈

棗屬𥯖竹名涓涓潔流皃悁曲裁○徧遍辯辨卑見切說文帀也或从辵亦作辯辨文五

頨頨頨狹也从緜省○片匹見切說文判木也从半木文七胖半體也辨旋流也爾雅過辨回川戔

狹少之意劉昌宗說眅爾雅大也瓣瓠中實𩌏革中絕也○麪麵眄見切說文麥末也或从面文二十三

櫋牑屋簀或作牑瞑瞑眩劇也睧偃息也眄眄說文目偏合也一曰衺視或作眄衊汙血𧧤

誘言也䋴細也𡧫說文冥合也㴐滇㴐大水䊟米屑藊藊藊艸皃也慏覆也慢慢訑

弛縱意湣惛泯泫湣混合也或作惛亦省䤉䤉炫汗血䓯博雅當也冥冥眴視不見○綻

𧛦治見切縫解也或从衣文二○駽犬縣切馬色爾雅青驪駽謝嶠讀文一○辧玭眄切急流也文一

三十三○綫線綖絤纞私箭切說文縷也古从泉或从延亦作絤纞文九鮮姓也𦋺魚罔

㦃憐也帴㡇也一曰婦人脅衣○𥳑箭翦䇵子賤切說文矢也隸作箭或作翦䇵文二十二葥

艸名說文山莓也箋姓也媊女媊太白妻鬋垂鬢謂之鬋揃射歒令正也湔水名在蜀

濺淺水激也或省通作湔糋煎餌煎熬也或書作煽榗木名餞字林送去食也搢挿也通作

晉戩爾雅履戩福也孫炎說𣟄果名山梅也𦺋艸名王蒦也溍水名𦼊艸名○羨似面

切說文貪欲也从次从羑省一曰餘也俗作羡非是文二𨗨遮也○賤才線切說文賈少也亦姓右書作賫文八諓巧讒謂之

諓餞說文送去也引詩顯父餞之羨車道𧗱說文迹也俴淺也濺激也踐履也○選

三十三○綫

曰懼慄也亦姓一曰以戈擊單故从戰古作[illegible]文七 顫說文頭不正也 單單至輕發之皃 戰艸名 [illegible]體搖也通作顫 ○

繕[illegible]時戰切說文補也或从攴文二十三 禪[illegible]說文祭天也一曰讓也王侯功不敢當故讓於山或作禪 膳饍

說文具食也庖人和味必嘉善故从善或从食 僐博雅態也 嬗說文緩也一曰傳也 擅說文專也 單單父邑名

亦姓 鄯說文鄯善西胡國也 [illegible][illegible]瓦器緣也或作[illegible] 墠壇除地也或从亶 襢去上服也 樿木名白理

檀闕人名春秋傳有饔人檀 [illegible]鼉水蟲莊子[illegible]鼉魚鼈 儃讓也揚子堯儃舜通作禪嬗 [illegible]博雅振[illegible]展極也

繟緩也 譠欺也 ○ 剸之轉切斷也文二 孨謹也 ○ 釧樞絹切鐶也文十 竁穿地也 諯

說文數也一曰相讓也 揣度也 穿貫也 僢蠻夷卧以足相向也 玔玉環也 [illegible]視皃 [illegible]艸名 縳

雙縛繳繒也紡熟絲爲之 ○ 叀專[illegible][illegible]船釧切小謹皃或作專古作[illegible][illegible]文八 揣方言度高曰揣 [illegible]

[illegible][illegible]望繩取正周禮置臬以縣是或作[illegible][illegible]通作叀 ○ [illegible]堧壖儒轉切城下田或从土亦作壖文七 緛纖也

[illegible][illegible]鳥名博雅[illegible]也或从鳥 㜍好皃 ○ 軔如戰切字林礙車木文二 繎絲勞也 ○ [illegible]數卷

撰須絹切擇也一或作撰文十三潠飲也一曰吮也選選噴也或省⿰羊巽羊羑也巽選⿰足巽周也

或从選从足繏⿰糸選博雅繏繏索也或从選譔善言渲小水○縓取絹切說文帛赤黃色一染謂之縓再染謂之

䞓三染謂之纁文六蒝艸木皃一曰艸名諯相責也⿺辶⿱止目相顧視而行灥雨而泉出也爨炊也○漩說文

漩隨戀切回也或从旋文二十五旋遶也⿰足旋⿰彳旋徐行也或作⿰彳旋鏇說文圜鑪也一曰裁木器縼⿰糸旋說文以長

繩繫牛也或省嫙美謂之嫙⿰月旋⿰月旋便旋短小皃或从旋蔙艸名⿺走旋紿走意也⿰羊巽羊羑也梋鋗

鐶車鐶也或作鋗鐶圓規也檈圜案通作梋⿰手旋手挑物⿱旋麥麥也徇以人從死⿺走嚴大也

⿰木旋⿰木旋鷹犬紲所繫或省○扇式戰切說文扉也一曰竹曰扇木曰闔一曰動也助也文十二謆以言惑人傓

煽說文熾盛也引詩豔妻傓方處或从火蝙蟲名說文蝙醜蝙搖翼也萹鬼萹艸名搧批也篇箑也通作

扇輪車扇也碥攻玉石⿰金亶⿰亶刂齊謂相絜木曰⿰金亶或从刀○䃸尺戰切說文以石扞繒也文六繟

緩也憚難也方言齊魯曰憚幝車衣⿰亶瓦⿰金單瓦器緣也或作⿰金單○戰戰⿱止幵之膳切說文鬬也一

切說文治車軸也文六孿𤳳一乳兩子也或从二男栓概也涮洗也栅籬也○籑饌䉵

雛戀切說文具食也或从巽从巺文十六𠨍說文二卩也譔專教也僎具也或作僝也襈緣也撰持也

集也膳切肉和血爲羞也孨謹也顨說文選具也⿰王巽玉名鱒魚名叀小謹兒⿰女巽女字○

驏驙陂扇切馬臥也或从亶文六𧝓展襢說文丹縠衣或作展襢搌捲也拭也○纏直碾

切繞也文六邅轉也逐也廛民居區域之名周禮有廛人徐邈讀譂數也相讓也繵博雅繵繵緩也躔

跡也○㾻連彥切痓㾻惡疾文六㨓接也僆僆僆行相及也一曰雞未成曰僆蓮蓮勺縣名在馮翊連

及也聯不絕也○輾女箭切轉輪治穀也文四碾碾榐所以轢物器也或作碾榐○囀株戀切聲轉也

文六轉說文運也傳驛也竱等也嫥女字籑饌饋也○𢓜蒃寵戀切走

也馬融曰獸不得彖或从艸文七𨂝逯行也或从辵𪂾鳥名說文欺老也⿰羊彖羊長尾⿱彖虫兔胥○傳

柱戀切釋名傳傳也所以傳示人文八摶縳綀束也周禮百羽爲摶或作縳亦省瑑說文圭璧上起兆瑑引周禮瑑

圭璧墝耕發土椽桶也槤木名○戀𢤦龍眷切慕也古作䜌文十一𡢾孌從也或作

孌亦書作𡢾䜌言不絕亦姓攣手足曲病也灓漏水也虊䕵艸名似鳧葵或从䜌⿰米䜌熬餌黏也

鱄闕人名春秋傳有衛侯弟鱄○衍延面切水溢也一曰大也多也文二十延及也莚荇蔓莚也或作荇

𨗨說文相顧視而行也羨延也餘也𨗴說文遮𨗴也綖冕上覆通作延唌大笑涎沔涎水流兒烻光熾也

狿蜒獌狿獸名似貍而長或作蜒埏地際也一曰墓隧𥆯博雅視也䌯綫也𣽷水溢兒演淺流

縯長也⿱雨延⿱雨延⿱雨延雲兒○譴詰戰切說文謫問也亦姓文四遣祖奠也麉鹿有力䪃韋帶謂之

䪃○掾俞絹切說文緣也一曰官名文十一緣說文衣純也彖弓緣也⿺風彖⿺風彖⿺風彖小風一曰轂再颺曰⿺風彖抁

動也老子揣而抁之𨗨道相顧而行也或省亦書作睓杬木名蝝蟲名蝗子未翅者一曰蟻屬殉以人從死

澴衆流兒○絹縳練規掾切說文繒如麥稍或作縳亦省文十狷有所不爲也鄄甄說文

衛地今濟陰鄄城或作甄梋木名皮葉可作衣似絹出西域焉耆國彊博雅䉷彊辭也悁躁急也覞視也○

理或从作瑱 衜衛也今齊人謂 楯 楯木名出西蜀又葉可作木茵 瑱 瑱挿衣 㥏 也急 䁍 也視 ○

㴜 流皃 ○ 綪 綪績 䌫 赤繒 茜 艸名可以染 倩 美好也 壻也一曰假借謂人 䙅 文 之

諸 也 茜 亦書作 蒨 相 䫥 而行 也 𦾨 名 木 蒨 一曰 蒨 𦾨 名 䓣 ○ 㿼 一曰 宣 各 文十一 縣 也 文 縣 也 𦾨 也 𢶍 小 㿼 一日 㿼

䶔 也 ○ 㶴 也 霰 雪 㿼 ○ 讂 問 也 亦 訮 又 四 謹 也 祖 奠 也 有 謂 之 𦾨

䩙 而 㼫 也 㣈 㼫 各 文 編 旋 曰 暮 㼫 也 一 眼 也 博 𣸣 也 嫙 好 𣸣 演 水 流

旋 㼫 而 行 也 說 文 旋 也 𦾨 也 旋 也 說 文 㶴 也 漩 寅 大 㳬 流 水 衍 先 也

轉 有 謂 轉 入 名 轉 也 ○ 衍 大 也 延 面 也 水 海 也 一 日 延 及 也 衍 溢 也 作 延 也

作 㶴 亦 書 篆 亦 作 詮 ○ 縣 曲 手 尺 縣 水 名 繫 也 㩫 作 縣 也 從 㩫

翌 也 㩫 土 緒 縣 也 揰 ○ 綜 名 本 㩫 絡 作 𦾨 文 十 一 吉 也 莫 𦾨 作 也

〔 〕 文 傳 示 入 文 八 傳 也 搏 縛 疄 作 縛 亦 㩫 也 周 禮 𤩽 說 文 土 塊

象 文 又 十 文 不 得 䟨 說 文 行 也 鶨 鳥 名 說 文 恭 𤩽 㩫 𦾨 ○ 傳

轉 文 說 運 也 專 壹 也 牽 囀 也 箕 文 盛 ○ 瀑 𦾨 𤩽 㩫 文 楚 𦾨

縣 也 ○ 轉 治 轂 也 文 四 鞍 𤩽 棟 也 㩫 作 𦾨 ○ 䡱 𦾨 𦾨 也

嫥 㥏 也 連 切 文 大 楗 也 捷 𦾨 㩫 日 㣈 㩫 連 㩫 縣 名 連

遄 大 切 也 宣 也 㩫 大 入 𦾨 𦾨 㩫 讂 𦾨 也 相 𦾨 也 𦾨

騾 驢 也 大 六 宣 羨 展 𦾨 文 作 㩫 擾 也 ○ 遷 直

撰 集 也 內 治 也 血 拵 頭 具 也 選 文 𤩽 㩫 專 小 撰 文 ○

或 从 巽 文 十 六 門 說 文 二 巽 也 事 敖 僎 僎 具 也 𦾨 僎 也 撰 也

䡱 也 文 治 車 轉 騙 又 二 男 也 㩫 也 洸 也 褲 也 ○ 篹 䉵 饌 籑

躽於扇切曲身也文四腲視也堰障水也歐大呼用力也○彥魚戰切說文美士有文人所言也文十二唁

嫣喭說文弔生也或作唁喭這行也迎也諺彥說文傳言也古作彥嫣博雅好也甗

瓢也甗甑也爾雅重甗隒郭璞讀讞議罪也嵃山名○瑗于眷切說文大孔璧人君上除陛以相引爾雅好倍肉謂之瑗肉

倍好謂之璧文十援助也亦姓媛說文美女也人所援也从女从爰爰引也引詩邦之媛兮褑佩紱也寏院周垣也或

作院鍰量名重六兩大半兩轅地名在齊春秋傳取犁及轅楥木名爾雅楥柜桏一曰蘺也篗斷竹也○𥛱

苦倦切祠也文五絭攘臂繩𨇨周也𥳳曲竹也𥞊禾相迫也○眷古倦切說文顧也引

詩乃眷西顧或从卷亦作劵文三十一𥄎說文目圍也卷曲也𢍏𢍜𢍝說文摶飯也或从収亦作劵𩚤

桊常山謂祭為𩚤或从示𧯷說文豆屬𥁓盂也帣說文囊也今鹽官三斛為一帣絭攘臂繩勬

勤也捲棬西捲縣名或从木桊說文牛鼻中環也犈爾雅牛黑脚犈觠羊卷角者蜷蟲名

蠐螬也方言自關而東謂之蜷蠾縳說文鮮色也婘親也史記呂須婘屬韏爾雅革中辨謂之韏𩜍饌也

埢限曲也𡿂櫜也𨹬縣名在安邑菤菤耳艸名繾欠也弮連弩也通作絭○券逵眷切說

文勞也一曰止也文二十一𢍏弃摶飯也或作弃圈邑也𨐌車裂也僎具也篹餋食也倦

惓倦勌說文罷也或作倦勌勌通作劵綣𦁟絭履縫飾或从劵亦省韏革中辨也襈緣也

蜎蟲名港水也楗馬行疲也周禮終日馳騁左不楗鄭康成讀圈閑養獸𦻯艸名鹿藿也○騗匹羨切躍

而乘馬也或書作騙文三偏不正也猵猵狙獸名似猿首如犬一曰異類牝牡也○便毗面切安也字統人有不善更之則安故从更

从人文三楩木名𤸷骨病風也○面弥箭切說文顏前也象人面形文四偭𠋫說文鄉也引少儀尊壺者偭其鼻一曰偝

也或作偭䩉馬韁當面皮○變𢒼彪彼卷切說文更也古作𢒼彪俗作㥲非是文三○卞皮變切縣名在魯亦姓一

曰躁疾也法也文二十五汳汴說文水受陳留浚儀陰溝至蒙為雝水東入于泗或从卞覍𡬪弁絣說文冕也周曰

覍商曰吁夏曰收从皃籀从廾上皆象形或作弁頩冠傾皃拚抃說文拊手也或从卞洴導水使平也坌平土也或

書作拚閞拚說文門欂櫨也或从木昪忭說文喜樂皃或作忭匥笲博雅笥也或从竹玣

玞玉飾弁也或作忭　葕雀葕艸名　播拚犬爭謂之播或从弁　郉邑名　閞搏也从門○鋑窺絹切圜
髮際結項中所以固冠者文二　頩舉首也一曰弁小而銳○帴山箭切狹也周禮革自急者先裂則是以博為帴也文一○泉疾眷
切水原文二　餕食餘也○悛子眷切博雅謹也文一○縳外絹切繒也文一○僆虔彥切僆僆行相及文一
○恮莊眷切謹也文二　敹卜問也○潸刪彥切淚皃文一○篡芻眷切奪取也文二　篹小春
三十四○嘯先弔切說文吹聲也籀通作歗文十　⿰月肅⿰月肅膗也或作⿰月肅　⿰米肅糜也　歗說文吟也引詩其歗
也謌　⿰足肅行皃　撨博雅拭也　熽火熾　㩋擊也　⿰肅刂割也○弔多嘯切說文問終也古之葬者厚衣之以薪从
人持弓會歐禽文十六　⿺辶弔至也通作弔　伄伄儅不當也　釣魡說文鉤魚也或作釣　訋博雅挐也一日聲也
瘹博雅狂也一日小兒疾　窵說文窵窅深也　蔦樢艸名寄生也或从木　䡪車前重也　杓物之標準　倜
倜傺癡皃　凋半傷也　葯艸名　卤艸實垂也○糶他弔切說文出穀也俗作粜非是文二十二　朓月側
糴說文穀也　眺說文目不正也　覜說文諸侯三年大相聘曰覜覜視也　咷楚謂兒泣不止曰噭咷　窱窅窱深遠

也　絩綺絲數也　窕姚輕也春秋傳楚師輕窕或作姚　佻方言疾也　朓祭肉　鋽鐵未煉　鐃鐵有
文謂之鐃　䠷身長皃　頫俯首而聽謂之頫　啁嗜也　銚燒器　趠趒超踔越也或从兆亦作超踔
○調徒弔切賦也試也文二十八　掉挑說文搖也引春秋傳尾大不掉或从兆　嬥直好皃　糶姓也晉有糶茷
糶穀也　銚鑃鑵燒器或作鑃鑵　莜蓧⿷匚攸⿰阝條⿱條皿說文艸田器引論語以杖荷莜或从條亦
作⿷匚攸⿰阝條⿱條皿　藋⿱艹糶⿱艹⿰禾翟說文堇艸也一曰拜商藋或从米从禾　滌養牲室　鋽鐵未煉　蜩綢蜩蟉
龍首動皃張揖說或从糸　踔遠騰皃史記遼東踔遠司馬正讀　窱說文杳窱也　啁嗜也通作調　稠動搖皃漢
書天地稠敫　⿰歹翟牛羊死也　跳行皃　竨竨嶢高危也○嫽力弔切好也方言青徐之間曰嫽文二十二　璙
玉名　顟顟顠長頭　嘹鳴也　轑車輪　料量也　鐐字林美金　尥說文行脛相交也　⿰歹尞敗也
廖姓也　遼徃也　⿱罒尞魚罟通作橑　蟉繆蜩蟉龍首動皃或作繆　熮火皃　⿱翏骨馬尻骨謂之八
髎　聊木名爾雅朻者聊　撈撩方言取也或作撩　⿱翏鼻⿱翏鼻鼽鼻仰皃　⿰衤了袚⿰衤了小袴　翏高飛皃

○尿尿溺奴弔切說文人小便也从尾水或省亦作溺文四褭柔長也○歗馨叫切悲意文四
㜵㜵娎喜也嬈不仁也顤大頭皃○竅詰弔切說文空也文九趬行輕皃𢴿說文
旁擊也或書作擻激風聲莊子激者謞者李軌說𣪩博雅骰𣪩骨也𪖐仰鼻䯨高也躈馬八髎也史記馬蹄
躈千噭口也漢書馬蹄噭千○叫嘂嘄吉弔切說文嘑也或作嘄嘂通作訆文二十一𥦗𥦗窱深遠也
䘨䘨衪小袴䡣車轄嘂說文高聲也一日大呼也引春秋傳魯昭公嘂然而哭噭說文吼也一日呼也譥說文痛呼
也一日許也訆說文大呼也引春秋傳或訆于宋大廟敫說文所歌也徼邀循也一日境也或从走憿行縢
激湍流皃獥獸名爾雅狼其子獥一日牝狼鷔鳥名似鳥繳糾戾也劉向日紛繳爭言嬓敫闕人名史
記齊有太史嬓或省皎明也○窔宎穾窔𥦗一叫切說文窔深也一日室中東南隅謂之窔或作宎穾窔
𥦗文十二窅冥也窅戶樞聲也帘幕也宎窔聲莊子宎者咬者䡣車轄窅窵窅深也嘄叫也
○顤倪弔切說文高長頭文十二嘄叫也𪖐仰鼻也澆闕人名寒浞子䡣博雅轄也𢾂

山皃或从敫獟獸名說文狾犬也垚高皃𠟍削也𥫁竨姚高危也僺倜僺癡皃○顏
戶弔切長項皃文一○僥火弔切在也文一
三十五○笑咲关仙妙切喜也古作咲或省俗作㗛非是文十一肖俏霄說文骨肉相似
也不似其先故日不肖或从人亦作霄韒鞘削𤿭刀室或从革从刀从皮𪉳煎鹽也○陗峭
七肖切說文陖也或从山文十八硝石堅皃悄急也㴥消浚波也或作消𥱍吹竹也哨口不正也㣙
行皃俏好皃帩縛也踃足筋急病削削格所以施羅網也訬輕也江東語𥪡立皃僺僥僺長皃
䵲䵲黯面點偢儍偢不仁○醮𥜥子肖切說文冠娶禮祭或从示文二十四釂㰁說文飲酒盡也或作㰁
𤅗說文盡酒也潐說文盡也癄病也縮也皭博雅皭皭白也燋灼龜炬也𩈁面不澤也𥌂
瞋目也一日目冥僬行皃禮庶人僬僬趭博雅犇也爝說文苣火祓也呂不韋日湯得伊尹爝以爟火釁以犧猳椒
芬香也詩有椒其馨徐邈說㵿車轅漆也噍嚼齧也或作嚼穛物縮而小謂之穛𥌂闕人名梁有虞𥌂

⿰忄爵性急也⿰革焦收束物也灂冰裂也⿰爵力勞也○噍嚼才笑切說文齧也或从爵文八哨說文不容也譙誚說文嬈譊也引周書亦未敢誚公古作誚趭走也劁刈也撨拭也○少失照切幼也亦姓文四燒爇也⿰少阝地名在魯魦魚名○照炤昭曌之笑切說文明也或从火亦省唐武后作曌文十詔說文告也⿱陹土陹說文耕以臿浚出下壚土也一曰耕休田也一曰隄也或省沼池也召卜也勺詩頌篇名劉昌宗說○邵召時照切說文晉邑也或省亦姓文八卲博雅卜也劭說文勉也卲說文高也⿰石句到懸鉤也⿰飠召小食也⿰召見見也○饒人要切益也文八繞撓纏也史記苛察繳繞或作撓襓袂襓劒衣蕘艸既芟曰蕘顤顟顤頭長穘禾皃蟯蟲動皃○召直笑切說文評也文一○朓丑照切祭也从肉文三朓晦而月見西方哨口不正○尞燎⿰禾尞力照切說文柴祭天也从火从昚昚古慎字祭天所以慎也或从火亦作⿰禾尞文十二燎膫說文炙也或从肉俗作爒非是⿸疒樂療樂說文治也或从尞亦省繚繞也⿰土尞周垣獠說文獵也鷯鳭鷯鳥名巧婦也○燿弋笑切說文照也文三十三⿰白翟白色曜耀昦光也或从光古作昦覞⿰見䍃說文並視

也或作⿰見䍃䚺⿰目龠曜說文視誤也或作⿰目龠曜⿰言龠讙也瀹水清也⿰足䍃博雅跳也搖動也傜說文行不正也一曰腫也趯走也[illegible]遺玉也筄爾雅屋上薄謂之筄艞⿰舟䍃大舟或作⿰舟䍃䔄藥艸莖絲也一曰玉女窯燒瓦鷂說文鷙鳥也颻風高皃抭抒臼也禴爾雅祭也⿱艹銚銚⿱艹銚芅艸名羊桃也或省愮方言愮療治也一曰憂也姚佻剽姚勁疾皃故漢以名兵官或从人通作鷂⿰月翟瘠也鷤鳥名負雀也○趬丘召切行輕皃一曰舉足高文九嘺口不正⿰喬亢⿰喬亢⿰虛亢不安也㢗高屋譑弄言獟勇也漢書誅獟悍顏師古讀通作趬顤舉首也⿰鼻乚鼻仰也⿰堯見高也○翹祁要切鳥尾舉也文一○要⿱要女⿱宀臾一笑切約也或作⿱要女古作⿱宀臾文十葽艸名䙅衣䙅約契也幼幼眇精微也紗急戾也一曰紗紝小皃熎燼也黝黑也一曰用黑塗地○嶠渠廟切山銳而高也一曰石絕水一曰山徑文八撟舉也轎博雅輧也一曰小車鐈鼎名橋牛貫鼻木一曰桔槔也⿰角喬獸長角敿盾謂之敿喬木枝上曲○驕嬌廟切驕驁馬行皃文四撟撟抄略取也⿰喬亢⿰喬亢⿰虛亢不安也轎牛車也一曰竹輿○⿰虛亢牛召切⿰喬亢⿰虛亢不安也文三驁驕驁馬行皃鏊燒器○勡

剽匹妙切說文劫也或从寸文二十六　蔈艸黃華　剽說文砭刺也一曰剽劫人　僄嫖說文輕也或从女　慓
疾也　𦗦行聽也一曰聽纔聞　翲飛兒　飃飄風兒或从麃　瞟暴也　漂浮也　摽擊也　彯畫飾也
蹘行輕也　㶾輕脆也　瘭瘭疽病瘍膿潰也通作漂　潎博雅清也　縹帛青白色　篻竹名出九真
顠𩯨髮白兒或作𩯨　髟長鬚　嘌車行疾無節　瞟矖也○驃毗召切說文黃馬發白色一曰白髦尾文十二
標落也　摽擊也　嫖僄輕也或从人　驃馬行疾兒　票勁疾兒漢官有票鷂校尉　剽刺也　慓
疾也勇悍也　瀌雨雪兒　𦗦行聽也　勡劫也○妙玅弥笑切精微也或从幺文六　䒚艸細曰䒚
篎爾雅管小者謂之篎　眇成也易眇萬物而為言王肅說一曰眇然微細兒　瞟白色○裱彼廟切領巾謂之裱文三　俵
捸分與也或从手○廟庿眉召切說文尊先祖兒也古作庿文三　𢄼幗也○捎梢嶠切撟捎略取上物也文二
䣂地名○超抽廟切踰也文二　眺望也一曰視不正○䖘虛廟切健也剽䖘強死輕為害之鬼淮南子說文一○覞
昌召切普視兒文一○標卑妙切木杪也莊子上如標枝文五　褾博雅袂也　驃馬黃色　蔈穀黃

集韻去聲八　　十一

華者一曰禾末　瀌瀌瀌雨雪兒
三十六○效傚効爻𣪫後教切說文象也一曰功也或从人从力亦作爻𣪫通作詨文二十　斆學
教也或省　恔𢘯方言快也或从爻　𦺈艸根也　𥱊竹萌也　𦥯說文闕博雅誤也　骹脛下也　佼
庸人之敏謂之佼　姣媱也　洨水名出井陘山東南至廮陶入泜　㹢㹢㹢犬吠　𥂕器名鍣鐺也　詨叫也　校
教學之宮一曰械也一曰木為欄格軍部及養馬用之故軍尉馬官皆以校為名○孝許教切說文善事父母者从老省从子子承老也文九　哮
呼也　嗃謞詨大嘷也或作謞詨　涍水名在河南　鴵獸名解廌屬或書作䴙　𧲫𤞟豕走兒或
从犬○敲口教切擊也方言楚人揮棄物謂之敲文十五　墽墝土不平或作墝　𥗋磽礉石不平或作磽礉
巧恐偽也或从心　骹脛近足　𡉜厓外　茭方言茭媞欺謾也　撽擊也　頝不媚　𥉷深目兒
毃擊頭也○教𧦝效學居效切說文上所施下所效也古作𧦝效或作學文二十六　𡥉效也
覺寤也　校說文木囚也　悎驚也　較較直也一曰不等或从爻　斠平斗斛也　窖窌說文

大ㄋ廿小六ㄋ　丗安

地藏也或作窌膠黏也珓杯珓巫以占吉凶器者酵酒滓佼博雅交也鵁獸名說文解廌屬槀枯禾
挍報也激水也詨呼也絞繒黑黃色一曰縊也𣓌交炊木餃飴也鉸交刀一曰以金飾器○
靿於教切曲也俗謂靴鞾曰靿文十九眑曉深目或从堯呦叫也岰山曲𥑮石不平皃坳土窒柪
木丩屈袎幼襪頸或省𩓹頸不隨也㑃擙佷戾也或作擙詏言逆也箹管小者謂之箹一曰
竹節𥁃器中不平怮心戾軪車有機也約束也屈也○樂魚教切欲也文八獟狂犬魒醜也
磽磝磽石不平皃墝墽墝土不平皃𩮭𩮭𩮭髻高也烄煎也嶅山高皃○豹巴校切獸名說文似
虎圜文文十鮑鼠屬𠺕誇也犦牛名出合浦爆火裂𢕔越也漢制新到官府幷上者謂之𢕔今俗
謂程外課作者為𢕔工謈嚗謈課惡怒也或作嚗趵跳躍也嘐嘐嘐聲也○奅披教切說文大
也文二十窌說文窖也一曰南窌地名通作奅炮灼也齊民要術有胡炮肉皰胞𦙬面生气或作胞𦙬噭
大聲礮砲𥓵機石也或从包从豹拋擲也㯡說文桼垸已復桼之𠻬𠻬桼然聲也軳飛石車
皰腫病麭餌也㳅漬也袌袌襛衣縷皃穮穮稲禾虛皃𠣾起也○皰靤䶌
疱皮教切說文面生气也或从面亦作靤疱文十六颮風皃𢼄手擊也𥄒目怒也鞄柔皮工鉋治木
器一曰搔馬具骲骨鏃謂之骲袧衣襟勽鳥伏卵髱多須也咆獸呼泡水泉𨠖酒之色
○皃𩒨貌眉教切說文頌儀也从人白象人面形或从頁豹省籀作貌通作緢文十六𣳷大水皃描擲也緢
庬絲𧢄帛雜文𢂐幗也𨋚博雅引車也一曰車鉤心媌偛博雅好皃或作偛𣩵博雅歹也貓
穮稲禾虛皃𩛇𡖋飽懣也或从夕藐艸名可染紫○稍所教切說文出物有漸也文二十一𣟈梢
剡木殺上也或省𦓡耰種髾髮皃鄁削說文國甸大夫稍稍所食邑引周禮任削地在天子三百里之內亦作削通作稍
艄舟名娋博雅侵也謂為人所侵侮捎攴也𢳆人臂皃觘𤙖角銳上或从牛䬙風聲睄小視
潲水激也一曰泔潘以食豕䏴𦢈燿哨凡物之殺銳曰䏴或作𦢈燿哨𦶇熾火急然謂之𦶇○抄
鈔勦剿楚教切略取也或从金亦作勦剿文十五䑬舟不穩謂之䑬謥代也訬縐細絺麨

於到切說文宛也室之西南隅或作奧文二十一墺垘堥四方土可居石作垘堥隩說文水隈崖也澳深也一曰水名
𤺊痛也薁艸名燠說文熱在中也懊爾雅忨也一曰頑也䜒告也𡡾妒也䐿鳥胃也𩞄妬食也
扷量也䟀長皃芺菜名味苦𩹸魚名博雅鱃鰳𩹸也噢叫也𣲙㴬也○傲慠敖
嫯魚到切說文倨也或从心亦作敖古作嫯亦書作慠通作驁文十八嫯說文侮易也或書作嫯奡說文嫚也引虞書若丹朱奡論語奡湯舟
嶅山高皃謷志遠也贅說文贅顤高也或書作顤鏊燒器驁說文駿馬以壬申日死乘馬忌之一曰驕驁馬怒通作驁
鷔鷔鷔鷔夏樂章名或从鳥澆闕人名寒浞子嶅動搖皃漢書天地稠嶅摮動也
蔜艸名也聱聱耴魚鳥狀○報博号切說文當罪人也从㚔从𠬝服罪也一曰荅也告也文二保任也○㬥
暴曓㬥薄報切說文晞也或作暴古作曓暴俗作曝非是文十七曓說文疾有所趣也从日出夲廾之𨄠行皃
虣𧇾強侵也周官有司虣或从戈廾通作暴瀑說之疾雨也一曰沫也一曰暴霣也引詩終風且瀑亦水名菢勽
鳥伏卵或作勽鸔水鳥𨣣宿酒也袍襮𧞣衣前襟一曰裹也或从㚣从麃亦書作裒嚗嚗㬥嗥多聲○冃

大百十八 小六六十八

冒帽莫報切說文小兒蠻夷頭衣也从冂二其飾也或作帽亦从巾文三十三湄水漲冐𡇯說文冡而前也古作𡇯瑁
玥說文諸侯執圭朝天子天子執玉以冒之似犂冠引周禮天子執瑁四寸古省㨼𢼄抵也或从攴𦒿耄𦓔
說文年九十曰𦒿或作耄古作𦓔通作旄眊䁯說文目少精也或作䁯䀤俛目細視謂之䀤通作冒媢說文夫妒婦也一曰相視
𦀍繒帛有毛刺者旄纛毛幢長也毛𢭃擇也鄭康成說或从手通作芼𩾢䧇輕毛或从隹鶜
山海經䍐嶌山有鳥狀如馬人面名曰般鳥鶜芼𥝩說文艸覆蔓引詩左右芼之或从禾萺說文艸也艒舟名楙說文門樞
之橫梁毷博雅毷毹解也秏秏亂不明也㥮貪也𡕍觸也○喿噪譟先到切說文鳥群鳴也从品在
木上或从口亦作譟文二十二燥說文乾也譟說文擾也䆆髞䫢髞高急也颾風聲也懆性躁也瘙瘙
博雅疥瘙創也或从蚤慅快也躁趮跳也或从彳埽掃騷拚除也或作掃騷鍋碎鐵
搔搔攖搔搏也或作搔毷毛皃也懆貪也鐰金鐵大剛曰鐰○操七到切持念也文十一造
艁說文就也譚長說造上士也古从舟慥慥慥言行相顧皃糙䊭米未舂或作䊭懆貪也不安也

鄛地名在鄭春秋傳鄭伯卒於鄛 鼜行夜戒守禮夜三鼜杜子春讀 鼜穴也 慅愁也 ○竈 竈 窖

則到切說文炊竈也或不省亦作窖文六 趮 躁說文疾也或作躁 造灼龜燒荊㓹史記卜先以造 ○漕在到切說文水

轉轂也一曰人之所乘及船也文五 嘈 ⿰言曹喧也或从言 褿攪也 鑿穿空也 ○到刀号切說文至也文十一 倒

顛倒也 禱 禂求福曰禱古从𢑴 受姓也出河内 菿說文艸木倒 劉大也 禱中縫謂之禱 禂 ⿰馬壽

⿰馬𢑴為牲馬祭求肥大或作騎亦从𢑴 ○䵚叨号切臂衣文三 套地曲後唐與梁人戰于胡盧套 謟疑也 ○導

道 衜大到切說文導引也或作道衜文三十七 翿黏也 翳 翿說文翳羽也所以舞也引詩左執翳或作翿通作纛翢 儔

隱也 纛 翢左纛也以旄牛尾為之在左騑馬首蔡邕說或作翢 ⿰衤毒衣背縫 燾 懤說文溥覆照也或作燾懤

幬 敦覆也或作敦通作燾 ⿰糸⿱翟灬色青黃謂之⿰糸⿱翟灬 盜說文私利物也从次次欲皿者 悼說文懼也陳楚謂懼曰悼一曰

傷也 敎 磬博雅老也一曰七十曰敎或作磬 佻傲也 ⿱髟兆長也 駣馬三歲名 蹈行兒 陶陶陶驅馳兒

檮 ⿰片壽博雅棺也或从片 璹玉名 ⿰身壽 ⿰身卓⿰身旁⿰身壽身長或从卓 檤木名或書作⿰木導 ⿰壽攵 ⿰壽攴弃也許也

集韻去聲八

十五

信

或从𢑴 醻美酒名 䆃說文禾也司馬相如曰䆃一莖六穗一說以稟為米曰䆃漢有䆃官故相如曰䆃六穗之禾犧共觝之獸直以䆃為禾者誤

受姓也 劉大也 ○勞郎到切慰也文二十五 撈 撩取物也或作撩 ⿱艹撩乾梅 癆說文朝鮮謂藥毒曰

癆一曰痛也 嫪說文婟也亦姓 ⿰黃翏黃色 髝髝髞急也 鐒臬大者曰鐒 潦水積 ⿰言勞聲多也 鐐

白金之美者 撩蓋弓也一曰椽也 窌石窌地名 僗伴也 ⿱艹勞嫪也 ⿰谷勞谷空兒 簩竹名 澇水名出扶

風鄠縣北入渭 ⿰參覽寬也 憦懊憦悔也 軂軂⿰身壽身長 轑車軸 橯摩田器 耮或从耒 ○臑乃到切說

文羊豕臂也文三 ⿱髟兆長兒 腦潦澤也 ○⿰牛燕叵到切牛名文五 櫜 櫜櫜張大兒或从缶 ⿰𠂤毛

輕也 ⿰月稾腫兒 ○趮色到切矢傍掉也周禮羽殺則趮文一 ○⿰扌豈巨到切廣雅鐥也文一

三十八○箇 个 介居賀切說文竹枚也或作个介通作個文五 個偏也 吤聲也 ○呵許箇切噓

氣也一曰責也文七 訶譀訶怒兒 菏 嗬菜名或从呵 ⿰可欠大笑 呼發聲也春秋傳呼役夫 ⿱艹閜蘷菏艸名

○坷口箇切坎坷不平兒文八 軻接軸也曰轗軻不得志 ⿰舟殳 ⿱涉可船著沙不行也或作⿱涉可 㪃博雅擊也 蚵

商蚵蟲名⿰齒可⿰齒可⿰齒我齒兒袻夾衣○賀何佐切說文以禮相奉慶也亦姓文七袻⿰衤賀博雅裓袖也或从賀⿰氵賀

水名⿰礻可祭名⿰言賀譍語侉痛呼也○侉安賀切痛呼也文二啊愛惡聲也○餓牛箇切說文飢也文

二⿰齒我⿰齒可⿰齒我齒兒○些呰四箇切說文語辭也見楚辭或从口文二○磋千个切磨治也文五蹉足跌⿰言差

言失也槎斫也措拭也○左佐⿰方左子賀切說文手相左助也或从人亦作⿰方左文七⿰彳左說文彼⿰彳左行不正ナ

左手也⿰衤左禪衣也趙魏之間謂之⿰衤左作起也造也○跢丁賀切小兒行兒文八癉憚⿸疒亶說文勞病也或

从心亦作⿸疒亶痑馬病哆緩脣也⿰足單踣也⿰黑左艸葉壞也故墟種麻有⿰黑左葉夭折之患賈思勰說○馱他

唐佐切畜負物也或作他文四大巨也誃欺也○邏羅郎佐切說文巡也或省文十⿰衤羅女上衣也⿸疒羅⿰歹羅

病也或从歹囉歌也欏籬格也⿰木磊椏⿰木磊樹衺纙錢緍也⿰足羅⿰足羅跮猶蹭蹬也○柰乃箇切能也文七

轙轅也那哪⿰口奈語助或从口从奈如若也書曰如五器卒乃復鄭康成讀⿺鬼差見鬼驚詞○

大一三十
小六、

椏阿个切椏⿰木磊樹衺文二痾病也

三十九○過古卧切越也文九鍋車釭也方言齊楚海岱之間謂之鍋划鎌也楇說文盛膏器褁

包束也⿰虫過不⿰虫過蟲名一曰蟷蠰通作過⿰禾會穅也浅水名腂腫赤也○貨呼卧切說文財也文三燬

爾雅火也郭璞讀沎水名○課苦卧切說文試也文七敤博雅椎也一曰研治髁⿸尸果說文髀骨也或从尸

堁堀堁塵起兒一曰阜也⿸疒果秃病科滋生也○和胡卧切應也調也文六⿰亻和和也盉調味也通

作和楇輠⿰車咼說文盛膏器或作輠⿰車咼○涴汙烏卧切汙也或作汙文七堁博雅塵也踒

踠說文足跌也一曰折也或作踠⿰立委立兒⿰火幾⿰火幾也○臥吾貨切說文休也从人臣取其伏也文一○播⿴囗米⿰番攵

補過切說文種也一曰布也亦姓古作⿴囗米⿰番攵文十二譒說文敷也引商書王譒告之⿰番欠揚也嶓山名襎長袂潘

磻石名可為矢鏃或作磻彼足橫病坒關東謂埭大曰坒番獸足○破⿰石皮普過切說文石碎也古作

⿰石皮文三頗偏也一曰疑辭○⿰石靡磨莫卧切說文石磑也或省文七⿸麻坐博雅塵也摩⿸麻牛也⿸麻言以大對小之言⿸麻手⿸麻手蔄

艸名攠鍾擊[illegible]○侳步卧切仆也文三蓌蓌蔄艸名⿰氵⿱夂各燕代謂喜言人惡為⿰氵⿱夂各○⿰月貞蘇卧切胥

膏也文六麰麵不精也㳶㳶石地名歲⿰馬寸歲穀名嗾使犬聲麴麰麴粟粥○剉寸卧切說文折傷也

文六莝摧說文斬芻也或作摧銼銼鑹溫器㳶地名𨛍山名○挫祖卧切說文摧也文十侳說文安也

蓌夎𨁈詐拜也介士之拜或省亦从足㳶地名史記擊韓信軍於㳶石㟇山摧也⿰女坐輕也剉斫也

⿰言坐以言折人○座祖卧切坐具文四㘴坐說文止也从土从畱省土所止也古作坐挫搦也○拕拖扡

他佐切曳也或作拖亦省文八佗加也袉說文裾也引論語朝服袉紳杝車名大太也何休曰約誓大甚𤵸博雅𤵸𤵸瘦也

○⿰禾朶都唾切木本也文九⿰金朶剁剉也或从刀⿰女朶挅量也或从手⿺辶朶允也⿰山朶山皃⿰歹朶殞也

⿰言朶言相謗○唾吐卧切說文口液也或从水涶又水名文十二⿱雨隋雨下皃鰖魚去鱗曰鰖嫷媠

南楚之外謂好為嫷或省⿰衤育⿰衤隋說文無袂衣謂之⿰衤育或从隋⿰角毛毻鳥易毛也或作毻蛻蛇所解皮也頹委廢

皃周禮頹爾如委李軌讀○憜惰媠墮㥩𢡃徒卧切懈也或省亦作媠墮古作㥩𢡃亦書作隓文十五⿰豕育

⿰豕隋豕名或从隋錞覆鐏也禮大夫鐏以錞⿱竹隋笛⿱竹隋夏笋埻射堋⿰衤育方言無緣衣謂之⿰衤育鰖魚初化曰

鰖⿰禾朶禾積也鬌子生三月翦鬌也○羸盧卧切說文瘦也文十六⿸疒羸博雅病也一曰畜病捰挼理也

或作挼⿸疒羸鄒病攞擊也纙說文不均也一曰絲有節⿰馬寸⿰馬寸歲穀名賈思勰說麰麰麴粟粥倮不正也

⿰木羸木名籮簣也惰憜媠懈也或作憜媠儽弱也○偄愞懦㼱奴卧切弱也或

从人从需亦作㼱文十五堧沙土蠃㖡蠃立皃⿰田耎堧嚅壖城下田一曰江壖或作堧嚅壖稬穤稻名

或作穤嫷方言娃嫷豔美也濡水皃挼推也○縛符卧切束也文一

四十○禡貉莫駕切說文師行所止恐有慢其神下而祀之曰禡引周禮禡於所征之地或作貉文十五䁥視皃罵

說文詈也通作傌⿸广馬博雅瘖也⿸疒馬說文目病一曰惡气著身一曰蝕創傌闕人名⿰阝馬方言益也⿰馬阝說文郁⿰馬阝犍爲縣

榪牀端橫木⿱髟馬⿱髟馬袜額也一曰帶結飾賣博雅儥也⿰言馬多言也獁獸名驀登也○⿰忄巴帕

袹普駕切博雅帳或作帕袙文六怕⿰忄霸㤺懼也或从霸从巴○霸𩇯必駕切把也一曰月始生古作𩇯文

十三壩𥗼堰也或从石灞水名垻平川謂之垻靶說文轡革也弝弓把也杷欛⿰骨巴

〔文音也文六〕[illegible]〔精也不[illegible]〕沰〔名石地〕[illegible]〔[illegible]〕[illegible]〔[illegible]〕過〔[illegible]〕○剁〔[illegible]切文十[illegible]〕

[illegible]〔文六〕[illegible]〔[illegible]〕[illegible]〔說文[illegible]也或作[illegible]〕[illegible]〔溫器[illegible]〕[illegible]〔名地〕[illegible]〔山名〕○[illegible]〔[illegible]〕

[illegible]〔[illegible]〕[illegible]〔詳[illegible]也[illegible]〕[illegible]〔[illegible]文〕[illegible]〔[illegible]〕[illegible]〔石名〕[illegible]〔山也〕

[illegible]〔祈[illegible]言〕○座〔[illegible]坐[illegible]〕坐〔[illegible]〕[illegible]〔[illegible]〕[illegible]〔[illegible]〕

[illegible]〔作[illegible]〕[illegible]〔[illegible]〕大〔[illegible]〕[illegible]〔[illegible]〕

○[illegible]〔本[illegible]〕[illegible]〔[illegible]〕[illegible]〔[illegible]〕[illegible]〔[illegible]〕

[illegible]〔言[illegible]相〕○唾〔口[illegible]〕涶〔[illegible]吐卧切文十三〕[illegible]〔[illegible]〕[illegible]〔[illegible]〕

[illegible]〔[illegible]〕[illegible]〔[illegible]〕[illegible]〔[illegible]〕[illegible]〔[illegible]〕

[illegible]〔如[illegible]〕○[illegible]〔[illegible]〕[illegible]〔[illegible]〕[illegible]〔[illegible]〕

[illegible]〔[illegible]〕[illegible]〔[illegible]〕[illegible]〔[illegible]〕[illegible]〔[illegible]〕

〔小大六四二十五〕

集韻去聲八　　十七

[illegible]〔[illegible]〕[illegible]〔[illegible]〕○[illegible]〔[illegible]文十六[illegible]〕[illegible]〔[illegible]〕

[illegible]〔[illegible]〕[illegible]〔[illegible]〕[illegible]〔[illegible]〕[illegible]〔[illegible]〕

[illegible]〔[illegible]〕[illegible]〔[illegible]〕[illegible]〔[illegible]〕○[illegible]〔[illegible]〕

[illegible]〔[illegible]〕[illegible]〔[illegible]〕[illegible]〔[illegible]〕[illegible]〔[illegible]〕

[illegible]〔[illegible]〕○[illegible]〔[illegible]〕[illegible]〔[illegible]〕[illegible]〔[illegible]〕

四十○禡〔[illegible]莫駕切[illegible]說文師行所止[illegible]〕[illegible]〔[illegible]〕

[illegible]〔[illegible]〕[illegible]〔[illegible]〕[illegible]〔[illegible]〕[illegible]〔[illegible]〕

[illegible]〔[illegible]〕[illegible]〔[illegible]〕[illegible]〔[illegible]〕[illegible]〔[illegible]〕

[illegible]〔[illegible]〕[illegible]〔[illegible]〕[illegible]〔[illegible]〕○[illegible]〔[illegible]〕

[illegible]〔[illegible]〕[illegible]〔[illegible]〕[illegible]〔[illegible]〕[illegible]〔[illegible]〕

杇也或从雨覇亦作䎱俗从手非是㧬廣雅㧬謂之𨎮爸吴人呼父曰爸○杷步化切田器也文十五䶕齒出白白西方之色
狛獸名似狼或書作犾鮊鱿魚名或从犬䯲䯲鬖鬆亂皃矲䂍跁矲䂍短皃或作䂍跁䎱
耙穲稏稻也或从巴粑穀也𦓤廣雅耕也皅色不真也○卸寫四夜切說文舍車解馬也从卩上午或作
寫文九瀉鹵也泄也藛博雅藛章藛程也蝑䗂蝍蛤蟹醢或从夜从卸从舍鳫傾也○
借子夜切假也文三唶諎廣雅鳴也一曰歎聲或从言○謝詞夜切說文辭去也一曰告也文六榭豫
說文臺有屋也一曰凡屋無室曰榭或作豫通作謝㴬水名出瞻渚山𧘝吴人謂衣曰𧘝澥凋也○褯慈夜切小兒衣
文七䠣䠞踐也或省藉蒩耤說文祭藉也一曰艸不編狼藉或作蒩耤䣢亭名在頁丘○笡
七夜切博雅笡謂之笡文四跙衺足也趄衺逆也揸衺梧也○舍式夜切說文市居曰舍从亼屮象屋
也口象築也文十一𨛫邑名厙姓也赦赦說文置也或从亦涻說文水出北嚻山入邛澤騇犃
爾雅牝曰騇或从牛貰貸也蛇蟲名似蟹螫蛆也○𧺆充夜切距也文六跅跂道㡿山名爾雅東北之美
者有㡿山之文皮奓開也莊子奓戶而入厙姓也𥿻以繩維持也○柘之夜切說文桑也亦姓或書作柘文十六樜
說文木出發鳩山蔗藷䗪艸名說文藷蔗也或作藷䗪嗻說文遮也炙䏱燔肉或从肉鷓鷓鴣鳥名
䗪說文蟲名一曰蝗類一曰鼠婦或書作蟅䵍黑色橐橐臯地名在淮南逡遒縣東南䕭石䕭藥艸一名石韋遮遏也
睗日赫㳐䏣屬○䠶射𢏬神夜切說文弓弩發於身而中於遠也篆从寸寸法度也亦手也籒作䠶文七貰
說文貸也麝𤛇獸名說文如小麋臍有香一說冬食柏夏食諸蟲虫或从牛灒病也○嗄歞𠷓所嫁切聲
變也或从欠古作𠷓文十二厦厈旁屋也或作厈沙聲嘶也周禮鳥皫色而沙鳴貍閜開也𠆩姓也出新鄭
𩷌魚名䰾𦐇博雅暴也或作𦐇刹剃也○誜唆數化切傻言也一曰妄言或从口文三傻
傻㑳不仁○詐側駕切說文欺也文十五咋語聲一曰暫也醡笮苲榨醠醋酒醠也或
作笮苲搾醠醋溠說文水在漢南荊州浸也引春秋傳脩涂梁溠蓌𥨸詐拜也或省䯿毛多皃䞍車裂
蚱蟬屬𣹟溼也○乍助駕切說文止也从亡从一徐鍇曰出亡得一則止暫止也文十六鮓蚱海魚名或作蚱咋

暫也詐諎說文慙語也或从乍齰齧齒也蜡說文蠅蜡也引周禮蜡氏掌除骴䄍索也合聚萬物索饗百神也通作蜡

砟碑石也渣水名怍恡怍多姦也痄寬也溠水名在美陽蓌[illegible]詐拜也或省○吒

咤嗄陟嫁切說文噴也叱怒也或作咤嗄文二十哆張口皃奓張也⿰黍奓⿰黍奓黎粘也⿰月奓賀⿰月奓不密也⿰虫宅

⿰虫宅蟦蟲名水母也觰角上廣也灹火焱也奼少女⿱穴乇窒⿱穴乇物在穴中皃膪腟膪肥也⿰彳啻⿰彳啻步立也

⿱宀託宅⿵門託說文奠爵也或作宅⿵門託宅一曰懲也託誇也媞英媞詐欺⿱艹宅⿱艹宅蓍藥艸黃芩也黃文內虛○

詫誃丑亞切誇也或从奓通作侘文六奼仛說文少女也或作仛侘侘傺失志皃哆張口皃○⿰虫宅

蜡除駕切蟲名南越志水母東海謂之⿰虫宅或作蜡文五塗飾也秺束禾也秅屋皃○⿰乇欠企夜切張口息也關中謂權臥

爲⿰乇欠一曰欬⿰乇欠不意文一○⿰月奓乃嫁切膩也文十二⿰黍奓⿰黍奓黎黏也挐乱也絮⿰糸奴⿰糸奓絲勢也或从如从奓踷

蹃踷小兒始行皃⿸疒拏病也⿰車豪輗也詉諸詉詐也⿰忄拏心乱也⿱髟奓⿱髟奓鬆鬆乱○夜亱寅謝切說

文舍也天下休舍也古作亱文八⿰金夜鏡也射僕射官名射者武事古者重武以主射名官關中語轉爲此音鵺⿰夜隹鳥名似雉

或从隹⿰氵射水名出瞻諸山⿰麥夜[illegible]⿰麥夜皮也○偌人夜切姓也文三⿱如言如也一曰麈言聲渃城名在彭州○

暇亥駕切說文閑也一曰嘉也文十一嘉假美也或作假下降也芐艸名地黃也夏昰百夓時也

古作昰夓暇緩視也疨利疾歑飲也○罅呼虛訝切說文裂也从缶缶燒善裂也或作呼文十八⿰土虖⿰阝虖⿰片虖

[illegible]說文坼也或从𠂤从片亦作[illegible]覀說文覆也从冂上下覆之⿰土虎地名在晉⿰口問訶⿰口問怒皃一曰笑也嚇赫哧

以口距人謂之嚇或作赫亦省煆博雅熱也謑怒言也唬說文唬聲也一曰虎聲詫告也諕謼誑也或作謼○

髂⿰骨可⿰骨叚丘駕切要骨也或作⿰骨可⿰骨叚文十三揢持也疴客小兒驚病或作客⿰可欠博雅息也一曰大笑

⿰去可歎聲⿰言契⿰言契詬巧言⿰齒可博雅齧也愘愘⿰忄牙多伏計⿰言亞⿰言亞訝言不正⿰齒客⿰齒客[illegible]齒出皃○駕

⿰牛各居迓切說文馬在軛中籀作⿰牛各文二十七椵榢架博雅搉杙也所以舉物或作榢架亦書作枷⿸广架構屋也賀

賀⿰月奓不密也一曰瘠皮賈價售直也或从人假叚下以物貸人也或省亦作下假一曰休告也瘕腹病

嫁說文女適人也幏說文南郡蠻夷賨布稼家說文禾之秀實爲稼莖節爲禾一曰稼家事也一曰在野曰稼或省[illegible]

嫁 適人也說文女適人也 稼 說文禾之秀實為稼莖節為禾一曰在野曰稼一曰稼家事也 [illegible]

賈 價 說文物直也 假 以物貸人也 段 下 一曰休也 [illegible] 瘕 病腹

[illegible]

集韻 去聲八 十九

廣雅嬾也 徦方言至也 㝁欝鬯酒之尊畫禾稼者 㤉心不安也 迦迦拕木如蒺藜上下相距 加增也 䀹視也 𦨣

艅具舟也或从架 𣗥木參交以枝炊籅者李舟說 ○亞衣駕切說文醜也象人局背之形賈侍中說以爲次第也文十六 婭

兩壻相謂曰婭通作亞 啞聲也一曰烏聲 俹倚也 稏䆉稏稻也 䀐晉說文義闕一曰姓也或作晋 矲矲䂍

短 歅歐歍也 惡惡也易言天下之至賾而不可惡也 𠛛廣雅𠛛也一曰刭也 脛䏿䐢肥也 㤆心鬱也 錏

柔剛鐵也 𨒫次第行也 亞復也 ○訝迓御輅魚駕切說文相迎也引周禮諸侯有卿訝發或作迓御輅訝一

曰疑也文十五 𢗰㤆𢗰心不合 𪘏齰𪘏齒不相值 砑𥑃碾也或从手 厊廡也 枒木名一曰𨓦枒木相拒

犽獸名似貜長尾 牙車䡰也 睚睚眦恨視也 玡骨似玉者 閜開裂也 ○崋華𡷫胡化

切說文山在弘農華陰从山華省亦姓或作華古作𡷫文十六 窊寬也 夻口大皃 𢷎𢷎鍾横木也春秋傳大者不𢷎或

作摦 樗樺說文木也以其皮裹松脂或从華 鱯魚名也 獲爭取也 擭機檻也 鷨雉也 話䛡

言也或从口 嬅女名 ○化𠤎火跨切說文敎行也古作𠤎亦姓文八 匕說文變也通作化 傀說文鬼變也

魤說文魚名 杹木名皮可爲索 謌疾言 吪開口皃 ○跨𨁎枯化切說文渡也或作𨁎文八 跉行也

𨁎說文踞也 髁胯𡲍股閒也或作胯𡲍 干舉足越一曰一步也 ○坬古罵切土堆也文四 䜌

𧬖詿說文相誤也或从瓜亦作詿 ○窊烏化切下也文六 𨂴𨂴踞距地用力也 㧓搲吳人謂挽曰搲或作

搲 𠹭小兒啼 䆹色敗也 ○瓦㼚吾化切施瓦於屋也或作㼚文二 ○𤸱楚嫁切博雅𤸱瘉也文八 汊

水歧流也 差異也 杈木枝衢也一曰收艸具 衩廣雅𧝎袥謂之衩一曰禮衣 䟕歧道也 譇

誐異言或作誐

四十一○漾瀁弋亮切說文水出隴西氐道東至武都爲漢一曰水皃古从養文二十三 羕說文水長也引詩江

之羕矣 㨾法也 恙說文憂也一曰蟲入腹食人心古者艸居多被此毒故相問無恙乎 饁䬬方言餌也或从羕 㦤

恨也 養敹供也或作敹 䁑美目一曰眉閒曰䁑 謪字林讙也 煬說文炙燥也 颺風所飛颺也 䴘

說文赤黑也一曰淺青 㺊獠獸名如猨猊食熊羆或作獠 像鳥也 痒𢊁創也或从广 㨾女字

四十一○漾

漾聲變也 儀立動皃 ○訪敷亮切說文汎謀曰訪文三 妨博雅娉也一曰害也 邡邑名 ○放
匚甫妄切說文逐也古作匚文七 舫枋說文船師也引明堂月令舫人習水者或作枋 趽馬曲脛謂之趽 旊鳥名
坊堤也 ○妄無放切說文亂也文十三 忘棄忘也 望𥩟說文出亡在外望其還也或从立 朢
𡈼說文月滿與日相望以朝君从月从臣从壬壬朝廷也古省或作𡈼 𧬊𧦅說文責望也一曰欺也或省 汒谷名在京兆 盳
盳洋仰視皃 䒽艸名杜榮也 謊誑也通作妄 ○防坊符訪切隄也或从土文二 ○相思將切視也助也文二
蠰蟲名食桑者 ○蹡𨄂七亮切走也或从倉亦書作𨄂文五 𥳑竹也 𪌭麥敗曰𪌭 摪刺也 ○醬
𨠟𨢍即亮切說文醢也从肉从酉酒以和醬也古省籀从皿文四 將說文帥也 ○匠疾亮切說文木工也从匚从斤斤所以作器也文三
𧻓說文行皃 鷠女鷠鳥名巧婦也 ○餉𩛙粡饟攘餳式亮切說文饟也或作餳粡饟攘餳文十八
向國名一曰沛縣一曰周邑亦姓 愓𤵸說文憂也一曰痛也或作𤵸 殤未成人死者 曏少時也 蟓蠶別名
党正也周禮維角党之 煬燥也 蠰蟲名齧桑也喜齧桑樹作孔入其中 珦玉名 恦念也 姠女字 ○唱

𪛗誯倡昌尺亮切說文導也或从龠从言亦作倡昌文七 廠露舍也 淌大波 ○障𢉡章
之亮切說文隔也或从广亦省文七 墇說文擁也 𢔆𢔆徨行遽皃 嶂山之高險者 瘴癘也 ○尚時亮切說
文曾也一曰庶幾也貴也主也夂也文四 上君也 償還也 堂距躅也 ○讓𨟽人樣切說文相責讓也一曰退也古
作𨟽通作儴 瀼水名在蜀 饟說文周人謂餉曰饟 懹博雅難也 攘卻也 蘘艸名蘘蘇也 欀交欀
木名出岷山一曰道上木 ○壯側亮切說文大也文九 𤸰病熱也 裝行具 𣴙𤇿賫米於甑也或从火
莊恭也 糚飾也 奘健也大也从大 奘妄彊也从犬 ○霜霜色壯切霣霜殺物也或从仌文三
孀嫠婦 ○創剏刅楚亮切懲也傷也或从刃古作刅文八 刱說文造法刱業也通作創 愴說文傷也 凔
滄說文寒也或从水 傖喪也 ○狀助亮切說文犬形也一曰類也文四 𤃽狀水瀁瀁皃或作狀 漴雨疾下 ○
帳知亮切說文張也一曰幬謂之帳文九 脹痮腹大也或从疒 漲涱水大皃或省 墇塲沙墳起也或省
張陳設也周禮邦之張事一曰自侈大也春秋傳隨張必棄小國 粻糧也 ○悵䀜丑亮切說文望恨也或从目文十四 𧘌達也

暘畼說文不生也或从長暢長也通也通作鬯鬯秬說文以秬釀鬱艸芬芳攸服以降神也从凵凵器也中象米匕所

以扱之引易不喪匕鬯或从禾䕻䕻說文艸茂也或从暢瑒說文圭尺二寸有瓚以祠宗廟者韔韔說文弓衣也引詩交

韔二弓或从革瓺博雅瓶也一曰朝鮮謂罋曰瓺○仗直亮切兵器文九暘畼田不生也或作暢韔韔弓衣或从

韋㚝女字長度長短曰長一曰餘杖所以扶行也言禮共其杖函瓺瓶也○諒亮力讓切說文信也亦

姓或作亮文二十五哴喨嗟哴啼極無聲也或作喨悢惊㤮博雅悢悢悲也或作惊㤮𢋶薄也通作涼

涼佐也詩涼彼武王一曰冷也醁說文雜味也一曰清漿曰醁飆北風眼睬痕說文目病也或作睬痕

掠榜也賖賦也踉踉蹡欲行皃量斗斛曰量兩乘也匹也緉說文履兩枚也一曰絞也犅駁牛也

韔弢也詩言韔其弓沈重讀㨾整飾也春秋傳御下㨾馬倞遠也剠鈔取也通作掠○釀女亮切說文醞也作酒曰釀文四

穰糅也蘘蘘說文菜也一曰藏菹或从蘘○向嚮許亮切說文北出牖也引詩塞向墐户或从片向一曰趣也救也文

十七鄉嚮窅窅面也或从向古作窅窅響荅也曏鄉不久也一曰嚮也闀說文門響也爾雅兩階間

謂之闀一曰牖屬明堂位刮楹達鄉天子之廟飾珦瓥說文玉也或从鄉蠁蟲名享薦也詩享于祖考徐邈讀羗羗量

鳥雛飢困皃響聲遠聞㛜女字著芼羹○咣丘亮切說文秦晉謂兒泣不止曰咣文五眼睬眖

目病或作睬眖夔闕人名陳桓公子夔○畺疆居亮切死不朽也或从弓文二○弶㢹其亮切字林施罟於道一

曰以弓罥鳥獸或作㢹文五倞傹強也或作傹蜣山名○怏於亮切說文不服懟也文七詇說文早知也䬬

飫也蚗青血也一曰面蒼君柍僉也方言齊楚謂之柍即今連枷坱說文塵埃也鞅馬駕具○軮魚向

切字林輢也文四仰廣雅恃也昂昂昂君之德也夔闕人名陳桓公子○睢旺于放切說文光美也或省

文十三王興也迬迋說文往也引春秋傳子無我迬隸省恇誤也往徃歸嚮也隸作往㤪方言獪也

溎汪溎陶縣名或省睢視也𣸉大水皃○況湟兄㒭許放切說文寒水也一曰益也矧也

譬也亦姓或作湟古作兄㒭文十一䀮眖視也況寒水貺䝑賜也或从光朊字林水名一曰山名軦黃軦蟲名岲

山名○𧦝誑誆迋逛古況切說文欺也隸省或作誆迋逛文十三㹶恇說文誤也隸省俇

徍說文遠行也或从彳 眲說文乖也从二目相違 狂惑也 眖明也 洭去水中也 ○ 狅具放切輙也文五
誑誑言 迋逛欺也或从狂 暀日光 ○ 眶區旺切腹中寬文一
四十二 ○ 宕大浪切說文過也一曰洞屋汝南項有宕鄉文十三 踼跌踼行失正也 嵣山形 碭說文文石也一
曰山名 薚蘭薚藥艸 闛門不開 逿失據倒也漢書陽醉逿地一曰過也 瘍畜病泄 愓放逸 囥
砰囥石聲或省 盪動也 趤趤趤逸游 ○ 儻他浪切倜儻大志一曰希望也文八 湯熱水灼也一曰蕩也
盪滌器一曰行也亦姓 揚排也 鐋治木器 𨦣或从宕 讜美言 蕩蒗蕩渠名 ○ 讜譡丁浪
切言中理也或从當文九 儅偒儅不常也一曰了也 當主也底也中也 擋摒擋也 簹車當 檔横木 艡艇艡
舟也 瓽說文大盆也一曰井以瓴為甃者顏師古說亦姓 ○ 浪郎宕切說文滄浪水也南入江文十八 㝗空也 閬
說文門高也巴郡有閬中縣 䀶目病 䀶暴也 埌博雅塚埌冢也一曰壙埌原野迴皃 誏謔也一曰泛言 𦊨莽𦊨廣大
皃 䕞蒗蘭薚艸名或作蒗 蒗蒗蕩渠名在譙郡 狼博狼地名在陽武 俍良工也 硠硠

集韻去聲八 二十三 至

石聲 㰠擊也 踉踉蹡行遽皃 𧺞𧺞趤逸游 筤扇類曲柄繖蓋在乘輿後 ○ 儴纕𧞤乃浪
切寬緩也或从糸从衣文十 壤塵也一曰土窟 瀼泱瀼濁也 鬤髮亂 儴行皃 囊蘘蘘囊艸皃 𡾟
𥗭山隈或从石 ○ 謗補曠切說文毀也文八 螃蟲名似蝦蟇 榜搒進船也或从手 縍吳俗謂綳絮曰
縍 艕舫並兩船或从方 嗙聲也 ○ 傍並陪蒲浪切近也或作並陪文九 㥬書帖也
徬說文附行也 髈說文鬆也 䠙踉䠙行遽皃 螃蟲名如蝦蟇陸居可食 塝地畔也 ○ 漭
莫浪切漭浪水大皃或从亡文八 𡶱嵣山形 笀屋簀 吂老耄昏不知皃一曰凡使人不荅曰吂沅湘閒語 孟盂
孟浪不精要皃或作盂 莔艸名狼尾也 ○ 喪𠷎四浪切亡也古作𠷎文五 𦅸色淺黃也 䁯眼䁯暴䁯也
搡撐也 ○ 葬𦵯𦲷則浪切說文藏也从死在茻中一其中所以薦之引易古之葬者厚衣之以薪或作𦵯古作𦲷文四 髒
骯髒伺立皃趙壹說 ○ 藏才浪切物所畜曰藏文五 臟腑也 奘大也 䔩修軍也 葬藏也 ○ 吭
頏肮亢下浪切咽也或作頏肮亢亢亦星名文九 行次也一曰行行剛強皃 䇘笐竹竿也或省 桁

衣檥翃翃翃飛皃通作頏○亢口浪切高極也一日星名文十八頏咽也通作亢囥藏也抗說文扞也忼

慨也伉說文人名論語有陳伉一曰匹也健也亦姓邟說文潁川縣閌說文閌閬高門炕說文乾也砊砊硠

石聲𪏻博雅黃也犺說文健犬也蚢海貝名梗禦災害也周禮招梗禬禳鄭興讀康舉置也禮崇坫康圭

通作亢軌車軌也阬坑也䆲䆲䆲高下不平皃○鋼居浪切堅也文三掆字林捎掆舁也䀭境也○

盎㼜於浪切說文盆也或从瓦亦書作䀚文十四嗌謚詇聲也或从言亦省醠醠說文濁酒也或省通

作盎坱塵也柍中央泱水皃𣟍𣟍椿木名姎說文女人自偁我也䀚䀚皆日無光䇦竹無色○

稖七浪切禾頃也文二蹌過也○枊魚浪切說文馬柱一曰堅也文五䭌說文䭌䭌馬怒皃岇山名在越仰

䖳御行不常餭食無廉○潢胡曠切釋名染帋也文七䀮䀮眼明皃攩擴打也或作擴怳心明

也纊繩束也煌燿也○荒呼浪切田不治也文四𥧲廣也𣊊旱气慌惚也○曠爌

苦謗切說文明也或从火文十一懭根也或通作懬曠目無眹也壙說文塹穴也一曰大也纊絖說文絮也引春秋傳

大百卄 小五百九十

皆如挾纊或从光懬說文闊也一曰廣也𡽊山名黋黃色𨆪路曠遠也○桄古曠切說文充也文十二

矌目無色光䊗飾色也或作䊗廣度廣曰廣一曰兵車名横橫組趾衡木或从廣纊絖

綿也周禮共其絲纊劉昌宗讀或从光擴擴充也或从廣通作横𦠆腫皃○汪潢汪烏曠切停

水皃一曰水皃或从廣从汪文四𨡅酒也○𦚽滂謗切脹也文一

四十三○映暎於慶切隱也或从英文十一賏頸飾詇博雅問也一曰告也一日早知餧餀

方言飽也或作餀英飾也擏說文中擊也瞕映視也亦从央嫈關中謂孩子曰嫈○敬

憼㢣居慶切說文肅也或从心古作𢿈文九璥玉名曔日明也竟說文樂曲盡爲竟獍獸名

鏡說文景也𦳝艸名○更叓居孟切說文改也隸作更文五賡續也鯁字林魚骨也梗

荒也略也○瀴於孟切瀴瀙冷也文二䙬雜采相映○鞕硬魚孟切博雅䩕也或从石文二○行

下孟切言迹也文四絎縁也胻脛也詩言也○蝗戶孟切螽也文四潢說文小津也一日以船渡也

橫不順理 脛足也 ○ 榜 搒 北孟切進舟也或从手文三 艕 船也 ○ 孟 𡥜 莫更切說文長也古作𡥜文九 蓋 艸名 䁅 黽 䁅盯目怒皃或从黽 蜢 蟲名蝦蟆也 萌 萌倀失道皃 盟 明 盟津地名或作明 通 ○ 膨 蒲孟切脹也文四 𧽬 䟕𧽬踊地聲 磅 䃏磅石聲 瓶 瓾屬 ○ 宖 烏橫切小水也文一 ○ 悙 亨孟切悙倀倀踈卒文三 諄 哼 博雅言也一曰䜐語或从口 ○ 倀 䛫 豬孟切倀倀踈卒或从言文九 證 張皮也 偵 廉視也 趟 䞶趟跟踶也 憕 幀 撜 張畫繪也或作幀亦从手 盯 瞯盯視皃 ○ 牚 恥孟切支柱也文十 敞 拒也 樘 柱也 儻 黨 儻 不動意莊子儻然不受或作黨儻 趟 䞶趟行皃 偵 偵偵走也 瞠 瞠 直視皃或作瞠 ○ 鋥 碾 敞 除更切磨也或作碾敞文八 朾 楔也 瞪 春也 瞠 瞠 瞪 定視也或从棠从堂 ○ 柄 棅 枋 秉 陂病切說文柯也或作棅枋秉文十四 鈵 廣雅固也 怲 憂也 寎 窉 爾雅三月為寎或作窉 邴 邑名在宋又姓 昞 日明也 炳 火明 蛃 衣中白魚 丙 日名 寎 卧驚病通作寎 ○ 病 皮命切說文疾加也文七 寎 說文卧驚病也一曰三月名 評 訂也 坪 說文地平也或書作垩 枰 博雅平也一曰榻也 平 平物賈也漢謂之月平 馮 據也漢書馮玉几 ○ 寎 窉 況病切爾雅三月為寎孫炎讀或作窉文三 寎 卧驚病通作寎 ○ 寎 窉 丘詠切爾雅三月為寎郭璞讀或作窉文二 ○ 寎 窉 鋪病切爾雅三月為寎或作窉文二 ○ 擤 先命切倮眩也文四 頩 䩂 負面或从面 爭 修也 ○ 命 眉病切說文使也文三 盟 誓約也莊子其留如詛盟郭象讀一曰河津名 鳴 相呼也 ○ 生 所慶切產也文五 鼪 鼬鼠別名 貹 富也 蛓 刺也 牲 牸牛也 ○ 瀙 儭 凊 楚慶切冷也吳人謂之瀙或从人亦作凊文三 ○ 慶 𢘑 丘正切說文行賀人也从心从文吉禮以鹿皮為贄故从鹿省古作𢘑文二 ○ 詗 恥慶切伺也文一 ○ 竸 競 𧩵 渠映切說文彊語也一曰逐也隸作競或作𧩵文十二 倞 傹 說文彊也或从竟 誩 譶 說文競言也从二言古作譶 儆 戒也 曔 明也乾也 滰 濜也 檠 有足所以几物或書作檠 擏 持也 ○ 迎 魚慶切逆也文一 ○ 詠 咏 永 為命切說文歌也或从口亦省文九 泳 說文潛行水中也 禜 說文設緜蕝為營以禳風雨雪霜水旱厲疫於日月星辰山川也一曰禜衞使災不生引禮記雩禜祭水旱 蝗 江南謂食禾蟲曰蝗 隍 壑也城池無水者 醟 酳 說文酗也

或作酥○亨享普孟切煑也周禮亯割亨劉昌宗讀或作享文六膨脹皃甁罌屬𪔊𧾷蹁躚也聲𥖁石聲
四十四○諍側迸切說文止也通作爭文二爭競也○迸北諍切說文散走也或从足文八𨅊𨂴
走也或从屏𩃱雷聲誁助也䑫膜脹皃蛢獸脊蟲出也○倂蒲迸切皆也文二䨆雷聲○
軯訇迸切車聲文四砰石落聲閛開閉門也𢬿析木聲○嚶於迸切嫈嫈獸聲文二嫈小心
態○轟輷呼迸切衆車聲或作輷文二
四十五○勁堅正切說文彊也文五勁筋竹勁劃艸名鼠尾也或作劃徑彶也○輕
牽正切疾也春秋傳戎輕而不整文三鏨金聲𨇩一足行○欿馨正切笑也文二醒酊頭劣皃○
敻虛政切說文營求也从旻从人在穴上引商書高宗夢得說使百工敻求得之傳巖巖穴也徐鍇曰人與目隔穴經營而見之然後指使以求之
支所指畫也文五瞍視也詗說文知處告言之䁝沈酗也䁞目轉也○高廎傾敻切瓜
屋也或作廎文二○𢸍拼畀正切博雅除也或从并文八鉼北燕謂釜曰鉼賆益也倂并說文

大六二十一 小六二十 集韻去聲八 二十六 春

並也或省屏除也併滿意○聘匹正切說文訪也文四聘視也娉說文問也謂昏禮問名俜使也
○併毗正切僻宴也文三併傍側也庰廁也○詺名彌正切目諸物也或作名文二○性息正切說文人
之陽气性善者也文六䗵說文蟲也姓𤯓說文人所生也古之神聖母感天而生子故稱天子引春秋傳天子因生以賜姓亦姓古作𤯓
狌鼪鼠屬莊子捕鼠不如狸狌或从鼠○婧七正切說文竦立也一曰有才文六清凊說文寒也或作凊
胜山海經玉山有鳥如翟而赤其名胜遇是食魚倩假也掅捽也○精子正切強也文二婧有才品也
一曰婧婧徒皃○淨疾正切魯北城門池一曰水也文十五瀞清說文無垢薉也或作清通作淨穽汬
阱說文陷也所以取獸者古作汬阱𡑝說文坑也䞍賜也靚說文召也姘說文靜也婧女貞也一曰竦立
蜻蟬屬請謁也頳說文好皃詩所謂頳首婙女字○聖𦔳𦕓式正切說文通也古作𦔳唐武
后作𦕓○文三正𠙶𤯓𤴓𠙷之盛切說文是也从止一以止古从二二古上字或从足足者亦止也古亦作𤴓唐武后作𠙷文十二
政說文正也証說文諫也䴭鴊鳥名鶺鴒也或从隹𥫔竹名眐𥄋視姃女字○盛時正切多也又

四十四 諍

四十五 勁

姓文六娍長好皃一曰美也𡑞㼩器也或作㼩脭肥也晟明也或書作晠○竀靚丑正切廉視也或作靗文七䞍售也偵博雅問也𩚵饋也詗知處告言之遉邏候也○鄭直正切說文京兆縣周厲王子友所封宗周之滅鄭徙潧洧之上今新鄭是也一曰重也亦姓文四呈衒也𤮧瓶屬也𥙊祖也○𧎲女正切蟲名文一○𤏷妨正切火皃文一○令力正切說文發號也一曰善也一曰官署之長漢法縣万戶以上為令以下為長文三詅博雅賣也衒也伶縣名在益州○纓於正切馬犬頸飾文六嬰嬰累小弱郢楚地名春秋傳吳其入郢劉昌宗讀罌甖博雅瓶也或从瓦浧水名一曰澱也

四十六○徑逕古定切說文步道一曰直也亦从辵文十一經織也涇涇涏直流也俓直也堅也𩱢博雅隔也𡁠字林聲也桱桯也一曰堅杉一曰經絲具牼牛膝下骨陘海陘魯隘道一曰山絕為陘剄斷也○罄詰定切說文器中空也引詩缾之罄矣文十一𥧋說文空也引詩瓶之窒矣磬殸硜說文樂名也从石殸象縣虛之形殳擊之也古者毋句氏作磬籀省石古从巠䟻一足行也通作䟻鑋說文金聲也或書作鋞麉爾雅鹿絕有力者汧水名在扶風綮肯綮肋肉結處也謦謦欬言笑也○脛踁𨁈形定切說文胻也或从足亦作𨁈文四鋞長鍾也鐏謂之鋞○鎣縈定切說文器也一曰磨也文八𢡅忊𢡅恨也瑩說文玉石之次玉者引逸論語如玉之瑩瀅濴汀瀅小水或作濴嫈遼嫈漢侯國名褮衣襇熒火光○濙胡鎣切滎濙小水皃文四熒暫明皃迥遠也高牆屋閒狹徑也○𧹞莫定切艴艶赤黑色文六瞑冥夕也或省暝閉目也𧳜豚屬糢屑米○腥胜新佞切說文星見食豕令肉中生小息肉也或省文六醒醉解也睲姓雨止無雲星見也或作姓性心悸也○靘千定切䨎艶青黑色文五靘靘說文冷寒也或从仌掅博雅持也一曰捽也碃石也○矴碇磸丁定切錘舟石也或从定从奠文十五釘黃金也靪補履也訂平議也飣𦘫置食也或作𦘫錠說文鐙也一曰豆屬有柎曰鐙無柎曰錠奠假也定營室星也一曰定謂之䵺顁題也通作定鼎方且也漢書鼎貴如淳讀䈥竹器𥺍米餌○聽𦗔他定切說文聆也古作𦗔文十一侹直也忊忊憕不得志皃庭廷逕庭激過也一曰不近人情或省涏

四十六徑

波流直皃㶚㶚濙小水豖承皃汀汀瀅小水筳筟筳車中筳也○定正徒徑切說文安也古作正

一說丘左有澤曰定亦州名文十廷正也直也朝位也霆雷也錠鐙也鼮豹文鼠也奠置也諚詭詐

也䁐見也忊忊憕恨也○零郎定切落也文六令令支縣名在遼西伶弄也笭笭筀車中

莛刢割也攊捙也○甯乃定切說文所願也又邑名亦姓文十二佞諊說文巧讇高才也或从言

濘說文滎濘也一曰清也鸋鳥名爾雅鴂鴳鸋鴂泥寍泥毋地名或作寧年關人名周景王弟年夫

聹告也从自譝博雅譝諛謟也通作佞詼𢕌𢕌𢕌行皃蠕蟲名似蟬○絅口定切禪衣也禮衣錦尚

綗徐邈讀文二烓小竈○㾈噎甯切歐聲文一○屛庰步定切偃廁或从广文四偋說文偋寠也

偋傍側也○跰迸壁瞑切散走也或从辵文二○扃扄扃定切明察也或从广文三坰遠郊

四十七○證鐙諸應切說文告也唐武后作鐙文十烝蒸氣之上達也或作烝承承承鄉漢矦

國名或作承椉姓也𪏾黃色𦞠癡也一曰𦞠脅腫也僜倰僜行無力○勝兖詩證切克也亦州名

作兖文七賸美目也縢說文機持經者藤蕂胡麻也或从稱𡢋女字○稱昌孕切權衡也分寸

起於秒秒禾芒也故程器字皆从禾一曰宜也謂也俗作秤非是文四偁譽也爯穪大也舉也古作穪○丞常證

切縣名在沂州文五𨌥輊車後登也抍撜上舉也或从登𨛫縣名在會稽○乘椉兖

石證切車也一曰物雙曰乘春秋傳以乘韋或作椉兖文十六賸益也餘也一曰以財贈送俗作剩非是媵美女一曰從嫁也䐢

孕妊也或作孕嵊山名在剡縣鱦魚子甸六十四井為甸繩儆也騬驟犗馬亦从乘䡉

𨌥副車也或从丞䛺促言○認如證切誌也文六扔博雅引也一曰就也推也數也杒木名一曰止車木

艿芿艸芟故生新曰芿一曰艸木不翦亦省仍因也郭象曰仍自然之能○甑䰝鬵子孕切說文甗也籀

从弜鬲文五䰝說文䰝屬禬方言汗襦江淮南楚謂之襜禬餕馬食穀多气流下也○凴憑皮孕切依几也或作凭文八

𦢊㿫腫滿皃或作㿫𦾧艸盛皃𨇤𨇤𨇤蹋地聲𣰶𣰶毴犬毛𥖙𥖙彭石聲○毴尼證

切𣰶毴犬毛文一○覴眙丑證切直視皃或作眙文二○眙瞪澄應切直視皃或从登文六澄清皃𪒨

米壞也憕心靜黖雲色○彰七孕切毛張皃文一○餧里孕切說文馬食穀多气流四下也文七揍麩

說文止馬也或作麩淩冰也痠風病棱去也倰長也一曰倰僜行㾓○孕孕𦢊𡜰以證切說

文褢子也古作孕𦢊𡜰文十三倂媵倭說文送也呂不韋曰有侁氏以伊尹倂女古文以爲訓字或作媵倭賸大視也美目也

賸說文物相增加也一曰送也副也𪑉面黑子謂之𪑉鱦𩵹爾雅鱦小魚或从孕繩艸舍實曰繩周禮秋繩而芟之○

興許應切象也文四嬹說文說也𦦶腫病𨞇說文地名○兢其孕切欲死皃文一○應於證

切荅也文五譍㢞噟說文以言對也或作㢞噟膺胷也禮拳拳服膺徐邈讀○凝牛孕切止水也文一

○冰逋孕切冷迫也文一○砅蒲應切水激石聲文四𨋬軯𨋬車聲𣐍泙𣐍析木聲靐靐靐靐聲

四十八○隥丁鄧切說文仰也或从山从石文十三嶝磴登蹬履也或从足憕懵憕神不爽

僜倰僜不親事鐙馬鞍具一曰豆也凳橙字林牀屬或从木饏祭饌墱飛陛謂之墱蕯

蕯蕯卧初起皃○澄台隥切小水相益也文三轑車羽霯大雨○鄧唐亙切說文曼姓之國今屬南陽又姓文

大ㄱ十五 小夲廿一

集韻去聲八　二十九　世明

十蹬說文蹭蹬也一𡟑㥁燈困病皃蕯蔆蕯卧初起皃騰騣騰馬傷穀病膯橐屬僜倰僜不親

事㥄𢜁負擔也或从手澄清濁分也𢿧擊也○倰郎鄧切倰僜不親事文六㱥㥁燈困病

皃騣騣蹬馬病輘輣也踜踜蹬馬病蔆蔆蕯卧初起皃○堋塴崩窆封逋鄧

切說文喪葬下土也引春秋傳朝而堋禮謂之封周官謂之窆又引虞書堋淫于家或作塴崩窆封一曰堋射埻也文七傰阿黨也塴

蜀郡謂塘曰塴○倗步鄧切輔也文一○懵懵懵母亘切說文不明也或从瞢从人文十二瞢目不

明也鐙鏳博雅錛鏳钁也或从夢䒐棟也魧鱠魚名或从瞢甿𤰞一曰田民博雅癡也艶

艶艶色惡𤸛瘴瘴眠寤○𤸛思鄧切瘴瘴眠寤文一○蹭七鄧切蹭蹬失道也文三艶艶艶色惡

劊割過傷也○增子鄧切贈也文三綜織文禬複也○贈作亘切說文玩好相送也或書作䞋文五

黷𪓿奸黷面黑氣或从黽驓爾雅馬四骹皆白者繒帛也○栕亘𦟛居鄧切說文竟也古作亘

胆文十二揯博雅急也或書作㨔絚索也堩博雅道也曾子曰葬引至于堩鮔鮔魚名或省暅博雅暴也

集韻去聲八 二十九

恒月弦也詩如月之恒 眶目起皃 硱石皃 ○堩口鄧切道也文一 ○鼐寧鄧切大鼎文一

四十九 ○宥尤救切說文寬也文二十七 又說文手也象形三指者手之列多略不過三也 右各佑說文助也一曰手口相助也徐鍇曰言不足以左復手助之或作各佑 祐說文助也謂福祐也 婧侑說文耦也或从人 酭醻酒也通作侑 疚痏疣說文顫也或作痏疣 頄[illegible]說文頭顫也亦从又 忧說文不動也 [illegible]說文走也 [illegible][illegible]說文小甌也或从右 囿[illegible]說文苑有垣也一曰禽獸曰囿籀作[illegible] 栯木名 [illegible][illegible]說文艸也或作[illegible]亦省 有復也通作又 [illegible]空也 狖獸名 ○齅嗅許救切說文以鼻就臭也文十一 [illegible]腐气也 嘼畜[illegible]說文犍也象耳頭足厹地之形古文嘼下从九厹或作畜亦从犬 [illegible]說文朽玉也 玉篆玉工 [illegible]腐也 [illegible]腐瘀瘬 臭逐氣也禽走臭而知其迹者犬也故从犬 ○[illegible]丘救切[illegible]仰鼻文五 [illegible]距距行皃 糗粮也 [illegible][illegible]跛行也或作[illegible] ○[illegible]牛救切[illegible]仰鼻文二 [illegible]跛行 ○[illegible]救捄居又切說文止也又姓或从攴从手文二十二 [illegible]說文揉屈也从又从𠬪𠬪古叀字徐鍇曰叀小謹也亦屈服之意 [illegible]說文恭謹行也

[illegible][illegible]說文飽也祭祀曰厭飽或作飽 究[illegible][illegible]說文窮也一曰究究相憎惡古作[illegible] [illegible]說文貧病也引詩煢煢在[illegible] 疚久病也 灸灼也或書作灸 廄[illegible]說文馬舍也引周禮馬有二百十四匹為廄廄有僕夫古作[illegible]俗作廐非是 玖石之次玉者 猶獸名善登木 久以蓋塞鬲口也 [illegible]強擊也 [illegible]說文謹也 [illegible][illegible]耕壟中或作[illegible] [illegible]眾視也 ○舊[illegible]巨救切鳥名說文鴟舊舊留也或从鳥休舊一曰故也又姓文十一 [illegible][illegible]引強也或作[illegible] 柩[illegible][illegible][illegible]說文棺也或作[illegible]籀作[illegible] [illegible]魚名爾雅[illegible]當魱似鯿 [illegible]方言仇也 [illegible]以財相謝 ○[illegible][illegible][illegible][illegible]余救切說文鼠屬善旋一曰[illegible]屬或作[illegible][illegible]文三十 猶獸名似麂善登木一曰隴西謂犬子曰猶 [illegible][illegible]雅字林獸名如猴卬鼻長尾或作[illegible][illegible] [illegible]蟲名不知聦明者 [illegible][illegible]說文如鼠赤黃而大食鼠者或从穴 [illegible]牛目皆黑曰[illegible] [illegible]輕車也 [illegible][illegible]盛飾皃詩[illegible]如充耳或从由 [illegible]博雅病也 油浩油地名 柚 [illegible]說文[illegible]也似橙而酢引夏書厥包橘柚或作[illegible] [illegible][illegible]說文積火燎之也引詩薪之[illegible]之周禮以[illegible]燎祠司中司命或从示 [illegible]不正 [illegible]山有穴也 [illegible]山曰[illegible] [illegible]木名 [illegible]木臭 [illegible]久屋朽也 [illegible]憂也 [illegible]物有光也通作油 [illegible]舟首也 [illegible]醜也

四十九〇宥

逌驚聲○謬嘐眉救切說文狂者之妄言也或从口文三繆戾也○副疈敷救切貳也或从二畐文十六
郛郭也福衣一稱䮳騙博雅假騙謂之䮳或从畐通作副愊愊悉也或作愊覆說文覂之也
一曰蓋也豧豕息也仆踣頓也或作踣䋨治敗絮也㾈再發之疾曰㾈福藏也史記邦福重寶徐廣
讀䈏竹蓋也○富方副切說文備也一曰厚也又姓文七輻輪轑也鍑說文釜大口者葍葍也
艒舟名不弗也罘罔也○復扶富切又也文十五䪞韝鞭轉皮衣車軾也或作轉亦竝从革
復复說文重也古作复覆蓋也通作伏伏寙菢外也或作寙瘦再病也複說文機持繒者
𨺗陦兩阜間也或作陦附說文附婁小土山也从阜付聲引春秋傳附婁無松柏○秀息救切實也有實之象下垂也
徐鍇說文十四琇璓說文石之次玉者引詩充耳琇瑩或省㑡㑡㑢行相待也通作宿繡說文五采備也鏥
銹鏽鐵上衣也或作銹鏽宿列星也舍也蛥朝蛥蟲名孳母也滫溞溲也或作溞莠茶也
鏅鍛也○趥趥千繡切博雅趥趥走也或从𠭥文三就廣雅就謂之笪○僦即就切說文僦賃也文六㩆

大百十八 小六百四十八

集韻去聲八 三十一 信

攢也𥡝稅也糈稻實也亦通作稰瘷縮也媨醜也詶吏也惆悲也○岫𥦖峀
似救切說文山穴也籀从穴从谷文七褎袖說文袂也或从由一曰盛飾一曰襃褎禾黍盛皃牰爾雅牛黑眥牰紬緒也○就
就疾僦切說文就高也从京从尤尤異於凡也又姓籀作就文七㠇崒也鷲鷲說文鳥黑色多子師曠曰南方有鳥名羌鷲黃
頭赤目五色皆備或从隹亦書作鷲𤛘字林牛眼黑眥也𡸁山名○狩舒救切說文犬田也引易明夷于南狩文七守諸侯為天
子守土故稱守漢置郡太守獸說文守備者一曰四足而毛曰獸首嚮也禮寢常東首一曰有罪自陳收𢾺獲也
或作攴𡁋趚鳥聲○臭尺救切說文禽走臭而知其迹者犬也故从犬徐鍇曰以鼻知臭故从自文三殠臰說文腐氣
也或省从死○祝祝呪詋詶職救切詛也古作祝或从口从言亦作詶文九騆鬣多也椆木名䎻耳明
也颵風皃○授穐䅌承呪切付也又姓亦作䅌唐武后改作穐文十三嗖口誨與也綬韍維
壽𠷎久也古作𠷎詶荅也售讎說文賣去手也引詩賈用不售或作讎詐無言不讎鄭康成讀禱
祈久年也醻報爵嬦女名○輮如又切車輞文十二煣火揉木也楺木名鞣柔革也蹂

厹踐也或作厹揉順也詩揉此萬邦肉錢璧之體脙䏔肉善者脙或从丑㖢惡言鍒
餾也○瘦瘦䏂所救切說文臞也隸作瘦或作䏂文十一颼颼飂風聲漱嗽說文盪口也或从口
鏉說文利也一曰鏉鏽鐵上衣涑水有所敗蒐爾雅戢蒐東也施乾讀嗖嗖驅鳥聲或从叜○
遚初救切說文艸皃一曰艸雜也文三簉倅也齊也遚不進也○縐側救切說文絺之細也引詩蒙彼
縐絺文十二𢘗㥮衣不伸也或作㥮𥳗捕魚器㲃說文井壁也㛌好也㾊博雅縮也
𦠅脯也皺皵也㑳㑳嫉也或从妾通作㛌鞁鞁也○驟騶鉏救切說文馬疾步也或作騶文九瀿水流
急也㛌㑳嫉也或从人掫擊也㥮諏偋㥮罟也或作諏虤虎爭聲○晝𦘔
晝陟救切說文日之出入與夜為界籀作𦘔隸省亦姓文八疛腹心疾也噣咮注說文喙也或作咮注扭按也
○畜嘼丑救切犍也謂六畜或作嘼文四俞姓也惆惆悵失志○胄育伷直祐切說文胤也从肉由聲又姓或作育伷文二十八
胄䩜說文兜鍪也从月由馬法从革或書作軸㣙行無極也宙說文舟輿所極覆也

籀說文讀書也引春秋傳卜籀云一曰史籀造篆以故有籀文繇占辭䛆說文訓也緧紬博雅業也
一曰縮也或作紬疛𤸬博雅病也一曰心腹疾也或从壽懤愁毒也酎說文三重醇酒也引明堂月令孟秋
天子飲酎逐奔也山海經夸父與日逐一曰牡牝合駎馬競馳馬謂之駎盩闕人名周大王父諸盩岫爾雅山有穴為
岫郭璞說怞說文朗也引詩憂心且怞箹竹易根而死曰箹縮古今無極謂之縮通作宙褶袖祝褶也或作袖
稆稻也粙稻實舳舟首○溜力救切說文水在鬱林郡文三十三霤說文屋水流也廇說文中庭
也一曰屋大梁褶謥袖說文祝褶也或从言古从示由甗博雅甗謂之甗餾說文飯气蒸也醽酒名𩎑
關東謂甗通作增塯瓦器堯舜飯土塯通作溜畂畂耕地起土也一曰瞬也或作畂窌石窌地名在濟北鶹
留徭留行相待也或作留翏說文高飛也廖說文人姓一曰國名僇說文癡行僇僇也一曰且也嫪
埤倉妖也瘤瘻腫也或作瘻勠并力飂長風聲也通作翏䧙說文鳥大雛也一曰雉之莫子為䧙鷚
鳥名說文天龠也好高飛作聲璆美玉名鏐黃金之美者一曰弩牙靁龜名左傀靁擂築墻布土也劉

竹聲 鎦磂 梁州謂釜曰鎦或从石 ○粈糅 女救切雜也或从丑文十一 ⿰飠丑⿰飠柔 雜飯也或从柔

鞣 柔革也 腬 肉之善者 楺 木名 猱 猴類爾雅猱蝯善援 狃 習也 ⿰糸柔 雜色繒 輮 車輞 ○

憂 於救切慮也詩序百姓見憂徐邈讀 文一

五十 ○候 下遘切說文伺望也文二十八 堠 記里堡 鄇 說文晉之溫地引春秋傳爭鄇田 郈⿰厚阝 鄉名

在東平或作鄏 睺 半盲也 ⿰貝侯 博雅賻賱本也一曰賱賺貪財皃 訽詬 博雅罵也或从后 逅 說文邂逅也一

曰解悅也 遘 遇也 覯 遇見也 ⿺走后 蹇也 後 詩傳相導前後曰先後 鍭翭 爾雅金鏃翦羽謂之鍭或从羽

𩗩⿵風后 風皃或从后 ⿰缶侯 埋倉石罌膜也一曰石墓 ⿰谷侯 谷名 鮜 魚名鱢也 鱟 魚名似蟹有子可為醬

⿰侯鳥 鳥名 ⿰虫侯 水蟲似龍出南海 洉 沾濡也 ⿰金后 受錢器 后 君也 厚 厚薄也 ○詬訽

㖃 許候切說文謑詬恥也或作訽亦从口文十八 吼 厚怒也 ⿰后頁 勤也一說⿰后頁顤老稱 怐 怐愗愚也 佝 或从人

𣪊 數歒凶麤也 ⿰谷后 谷名在成皋 ⿰犭后 字林豕鳴也 蔲⿱艹秝 豆蔲艸實生交阯或作⿱艹秝 ⿰豸后豿狗

熊虎子名或作豿狗 ⿰目后 怒目視皃太玄遠之⿰目后 鮜 魚名 鱟 魚名似蟹 ○寇 丘候切說文暴也文二十二 ⿰忄寇

⿰忄寇⿰忄寇勤力 敂 說文擊也 佝 說文務也 瞉㲄區怐 瞉霿鄙吝心不明也或作㲄區怐 袧 博雅襞也 ⿱敄糸

博雅縐也 簆 織具 ⿱殸缶⿱殸土 說文未燒瓦器或从土 滱 說文水起北地靈丘東入河滱水即漚夷水并州川 扣 擊也

鷇⿰㱿鳥 說文鳥子生哺者或作⿰㱿鳥 ⿰寇鳥 鳥名鴝屬 垢 解垢詭曲之辭 詬 詈也 釦 飾器也 叩 以手至首

○冓 居候切數也一曰交積材也文五十六 構 說文蓋也一曰木名或从手非是 ⿰目冓 視也 ⿱艹購 艸名蔦類 篝 竹器

遘 說文遇也 ⿰石冓 碻也 覯 說文遇見也 媾 說文重婚也引易匪寇婚媾 姤 易卦名遇也陰陽相遇也

㝅 說文乳也一曰㝅瞀也 ⿱宀冓 博雅夜也詩中⿱宀冓之言 購 說文以財有所求也 ⿰貝句 稟給也 ⿰身句 縣數也 句

拘也又姓 軥 說文軶下曲者 彀 說文張弩也 雊⿰口冓呴鴝 雉鳴或作⿰口冓呴鴝 ⿰㱿女 取乳也 ⿰㱿子

取羊乳也 𤛓 取牛乳也 ⿰㱿羊 取牛羊乳也 ⿰冓鳥 ⿰冓鳥鴝鳥名 鉤 鉤梯攻城具詩以爾鉤援 韝 射所以韜臂者 詬

訽 詈也或作訽 逅 邂逅不期而遇一曰解說也 鷇⿰㱿鳥 字林鳥子生哺者或作鷇 袧 博雅襞也 瞉⿱句心

怐佝傋㲉霿鄙吝也或作愗怐佝傋 𣪘木名 岣博雅岣嶁謂之衡山 瓝博雅瓝瓞王瓜也 䯞髺䯞

骨耑一曰骨鏃 ⿰火冓舉火也 ⿱穴冓穴也 ⿱雨冓大雨也 搆𢹂也 ⿱艹冓⿺辶⿱艹冓積艸或作遘 夠聚也 玽

玉名 頜頜頜勤力 豰㹀豬也 ⿱殳犬獸名似犬食猴 穀祿也善也論語三年學不至於穀 ○漚渥於候切說

文久漬也或作渥文二十 ⿰虫區蠶眠也 ⿰衤區次衣也 ⿰革區胡鞬 ⿰區隹鳥聲 ⿱艹漚飲水也 歐歐吐也 醧酒味和

膒以脂漬革 熰 瞘 蓲㸐也或从日亦作蓲 ⿱林去⿱林兄⿱林句地名在竟陵或省亦从句 漊[illegible]黍也積艸水中

以取魚 握⿰糸屋喪束手者或从糸 搜闕人名莊子有王子搜 ○偶牛遘切不期會也文一 ○仆踣

⿺走咅匹候切僵也或作踣⿺走咅文八 㰯語不受也 扑擊也 ⿰缶咅治敝絮 豧豕息也 朴木皮 ○䏽蒲候

切醬豕者為䏽文十 ⿰革尃⿰車尃華裹車軛也或省 錇說文小缶也 ⿰咅鳥鵓鳩鳥名 ⿱竹咅仆也 朴木皮 ⿰虫菐

⿰虫菐⿰虫束蟲名 芟⿰歹殳落也或从歺 ○戊莫候切說文中宮也象六甲五龍相拘絞也文四十三 茂說文艸豐盛

⿱艹楙艸名 ⿱艹務說文毒艸也 䓮說文細艸叢生也 苺覆盆艸也 冃覆也 楙說文木盛也爾雅楙

木瓜 袤⿳亠楙衣說文衣帶以上一曰南北曰袤東西曰廣籀作⿳亠楙衣 ⿱敄足拜也 懋⿱矛心說文勉也引書時惟懋哉或省

通作楙 霿愗⿰亻敄⿰忄敄⿰亻務㲉霿鄙吝也或作愗⿰亻敄⿰忄敄⿰亻務 ⿰虫敄蟲名蛑蝥也 罞獸罔 瞀⿰目冒

說文低目謹視也一曰目不明也或从目 ⿱敄酉說文醔酳榆醬也 姆娒母女師也或从每亦作母 ⿰矛系染布以覆車也

鄮說文會稽縣 侮傷也詩受侮不少徐邈讀 牧地名尚書大傳牧之野劉昌宗讀一曰畜牧 ⿱敄虫龜兆氣鬱

冥也洪範曰蟊曰剋劉昌宗讀 侔上下等也周禮凡為輪行山者欲侔劉昌宗讀 務⿱敄日牟昏也古作⿱敄日或作牟 ⿱敄皿

博雅瓮也 ⿱艹務艸名卷耳也 ⿰木敄木名冬桃也 貿貿說文易財也或作貿 ⿰木予果名 ⿱敄魚魚名出日南

雺地气發天不應曰雺 ○漱先奏切蕩口也文十三 嗽欶欬也或省 瘶寒病 嗾族說文使犬

聲引春秋傳公嗾夫獒或省通作欶 鏉利也一曰鐵上衣 ⿰忄叜困⿰忄叜氣臭薰鼻不通皃 搜闕人名莊子有王子搜 篓

小竹 ⿰虫束⿰虫菐⿰虫束蟲名 ⿰口束吮也 謏私詈 ○湊奏千候切說文水上人所會也或作奏文十七 輳輻共轂也

⿰金奏捲屬 鏃博雅鏃窖鏑也 揍揷也 腠膚理也 ⿰鹵奏博雅鹽也一曰南夷謂鹽曰⿰鹵奏 楱小橘也出武陵

[illegible]

豨豕也 蔟族 太蔟律名蔟湊也萬物始大湊地而出也一曰蠶蓐或作族 藪 車轂空也衆輻之所輳李軌讀 ⿰目奏
半春也 嗾造 使犬聲或作⿰口造 蔟 鳥巢 ○ 𡙸奏𡗝敪㞰 則候切說文奏進也从夲
𠬞从屮屮上進之義一曰簡類晉法召王公以一尺奏王公以下用一尺版隸作奏或作𡗝敪㞰文九 卪 說文卪也闕 走 疾趨也 族
樂變也漢書聲有節族蘇林讀通作奏 踍 蹋也 ○ 㔌 才候切博雅斷也一曰細切文四 ⿰木奏 鍤⿰木奏杷鐵齒也 ⿰足聚
醉行皃 驟 疾馳 ○ 鬭 丁候切說文遇也又姓俗作鬪非是文十八 鬥 說文兩士相對兵杖在後象鬥之形 斣 等
也 𨛦郖 地名在弘農或作郖 譳嬬詎姮 埤倉譳譳不能言也或从女亦作詎姮 ⿰豕乇 尾星名
噣咮喙注 口也或作咮喙注 阧⿰阝豆 峻也或从豆 襡 衣袖也 餖 飣也 ○ 透𧼛
他候切說文跳也過也或从走文十三 ⿺走殳⿰足殳 自投也或从足 咅歆㖔哣 相與語唾而不受也或作歆㖔哣 愉
苟也鄭司農曰民不愉 蘣 博雅好也 逗 止也 綉 吳俗謂緜一片 ⿱楙公 地名在高陵 ○ 豆⿱白豆
梪䇺 大透切說文古食肉器也古作豆或从木从竹文三十五 𥛌 祭福也 餖𩛞 飣也或从殳 脰⿰𠦝翊
說文項也亦作⿰𠦝翊 逗投 說文止也或作投 酘 字林重醞也通作投 ⿰豆殳 遙擊 毭 博雅毭㲣罽也 ⿰革豆
說文車鞁具也 郖 地名在弘農縣 浢 水名在河東 竇 說文空也亦姓 窬 鑿垣爲户 ⿰氵竇⿰氵窬 水也或作⿰氵窬
荳 荳蔻藥艸 讀⿰口賣 誦書也周禮鄭司農讀火絕之徐邈讀或从口 㤱 誑也 牏 築牆短版 ⿰酉俞 說文醽酳
也 ⿱穴豆 陷也 狟 犬吠 渝 水名 𢭃 四豹曰拒 䱏 魚名 瀆 句瀆宋地名 鍮 鏉鍮鐵生衣 𡛓 姮嫐
不能言也 ○ 屚 郎豆切說文屋穿水下也从雨在尸下尸者屋也文二十 漏 說文以銅受水刻節晝夜百節一曰泄也 㔷 說文
側逃也一曰箕屬 陋 說文阸陝也 鏤 說文剛鐵可以刻鏤引夏書梁州貢鏤一曰釜也 ⿰金屚 鏉也 剅 剅剠細切
䝈 䝈賧貪財 瘻 說文頸腫也一曰久創 蔞 蔞蘆藥艸 蔄 埤倉姓也 螻 內病 嶁 岣嶁謂之衡山 ⿰婁瓜
博雅⿰婁瓜王瓜也 䣚 地名 𨂰 蹋也 鞻 鞮鞻四夷舞 僂 僂佝短醜 謱 謱詬暴怒 數 數歐小兒凶惡
○ 槈鎒耨 乃豆切說文薅器也或从金从耒文十三 擩 擩擩不解事 檽 檽檽木名皮可染 譳
譳譳不能言也 䰭 說文鬼䰭聲䰭䰭不止也 㝅 博雅乳生也 獳 怒犬皃 猱 猨類詩無教猱升木沇重讀 搙

博雅拄也嗕羌別種漢有呼速𦃃嗕嬬女字

五十一○幼伊謬切說文少也文四柚橘屬鴢鴢頭鵁鳥名似鳧蚴方言燕趙謂蠭小者曰蚴蛻

○䡂巳幼切車軨上轑文二椆木名○𨄯輕幼切𨄯行不正也文二𧎥赳𧎥龍申頸行皃○𨁂

祁幼切𨁂𨄯行不正文四玌玉器赳赳𧎥龍申頸行皃䡂軫上轑也○赳古幼切赳𧎥龍申頸行皃文四

僇癡行僇僇一曰且也劓折鼻也叫聲也莊子叫者譹者郭象讀○𧎥火幼切赳𧎥龍申頸行皃文一

五十二○沁七鴆切說文水出上黨羊頭山東南入河文十五吢𠱣犬吐或作𠱣亦書作吣𥳔樬

墨漬筆也或作樬𠞊剋也𤶈痛也𡜸艸木萎死𢹇𢘓揰也或从心鈊利也浸沁冷氣

或从心伈恐也𪔂㪃也○浸子鴆切漬也或作湛文十五𢯱𢿈擊手也或从攴濅說文

水出魏郡武安東北入呼沱水葠蓡喪藉艸也或作蓡祲說文精氣感祥引春秋傳見赤黑之祲梫爾雅梫木

桂葉似枇杷而大白華𦢈脣䏭謂之𦢈䅧錐也𩀔漢中名雞也𢵉深掘也鋟刻傷也浸

冷氣○枕職任切臥首據物也文三針鑯縫也刺也或从箴○甚時鴆切過也古作𠀒文八葚說文

桑實也瘎復病曰瘎䫖㑣頗䫖俯首或作㑣霿雨皃䫖䫖䫖頭皃一曰弱也○妊

如鴆切說文孕也或作姙文十四任克也栠說文弱也衽袵衣衿也或从任亦書作𧝢䇮臥蓆也通作衽

紝絍說文機縷也或从任亦書作紝鵀戴鵀鳥名飪孰也恁思也賃以財雇物壬佞也○

滲所禁切說文下漉也文八瘮病也罧槮罧積柴水中以取魚或作槮罧參㴨寒皃窔深皃

俗謂深黑為窨窔一曰瘮也關中謂瘮極為窔沁水名○讖楚譖切說文驗也文一○譖側禁切說文愬也文三

䫬頭俯也僭數也○揕知鴆切擊也一曰刺也史記持匕首揕之文七鈂重也㲴下擊𠆸𡙘

廣雅耕也一曰手屬或作鈂湛漬也愖癡也○闖丑禁切說文馬出門皃文四覘覘私出頭視也从彤或省

舦吳楚謂船行曰舦○鴆直禁切說文毒鳥也一名運日或从隹文七𨾴沈湛沒也或作湛𠘰

瓜名䒞𦬤艸名或省○臨力鴆切哭也文六箖博雅翳也菻拂菻西域胡名淋以水沃也𣞣

𠊊 頫頫俯首或作𠊊 ○賃任 女禁切說文庸也或作任文二 ○禁 居蔭切說文吉凶之忌也一曰制也蔡邕說天子

所居曰禁又姓文七 僸 比夷之樂 襟 方言格也謂今竹木格一曰所以扞門 紟 單被 ⿰糸禁 青色陶隱居說藍染⿰糸禁碧所用

齽齒 鉤齒內曲謂之齽 棽 承搏按 ○⿰牛今 ⿰舌今 ⿰齒今 巨禁切說文牛舌病也或从舌从齒文二十六 軡 鞔帶也束

物章也 噤齽 說文口閉也或从齒 勢 用力也 捦擒 捉也或从禽 凚 寒皃 忴⿰忄禁 心堅

固也或从禁 紟⿰糸金 被也一曰佩紟或从金 衿⿰衤金 衣系或从金 ⿸厂金 石地 懍 心怯也 笒 竹籤也

鈙⿰扌禁 持也或作⿰扌禁 ⿰舟禁舲 蜀人謂舟或从今 ⿰足禁 坐也 ⿰禁欠 闕人名漢有劉⿰禁欠 妗 俗謂舅母曰妗

○蔭⿱艹⿰阝音 於禁切說文艸陰地也或作⿱艹⿰阝音文十七 廕 庇也通作蔭 癊⿰月侌⿸疒侌 字林心病或作⿰月侌亦省

⿰酉音 醲氣 窨 說文地室也 ⿰禾音 禾苗茂美也 喑噾 方言啼極無聲齊宋之間謂之喑或作噾 ⿰糸音 ⿰糸音呃不平聲

飲 歠也一曰度聲曰飲 陰 瘞藏也禮陰爲野土 噫 氣出皃 ⿰阝音 闇也 瘖 痛劇也 ○亶 逋鴆切受也文

一 ○瀋 鴆禁切置水於器文一 ○深 式禁切度深曰深文五 諗 字林念也 瞫 低目視 ⿰女覃 志下也

 荌

⿸广深 廕⿸广深屋深 ○⿰扌衾 丘禁切按也文二 顉 顉⿰口頁首動 ○吟 宜禁切長詠也文二 ⿰口頁 顉⿰口頁首動 ○⿰言感

火禁切譀許怒言文四 ⿸厂敢 猛意謂物新美者意嚮之 愖 愖愖心不正 衜 衜衜暗行皃 ○許 于禁切譀

許怒言文一 ○鐔 尋浸切刀本文二 蕈 桑英 ○⿰鼠沈 遙沁切鼠名文一 ○⿰禾替 岑譖切禾欲秀文一 ○

⿰窗力 思沁切⿰窗力勢用力文一

五十三 ○勘 苦紺切校也文二十二 衉⿱贛血⿰血甚⿰血敢 說文羊血凝也或从贛省亦从甚从敢 ⿱臽豆

敢味厚 ⿰酉甚 味厚也 轗輱輡 轗軻車行不平一曰不得志或省亦作輡 ⿰革贛⿰革贛 擊鼓也或从殳 磡

碪⿰石臽 巖崖之下或作碪⿰石臽 埳 埳坷不平 坎⿰土勘 險岸或从勘 餡⿱艹飲 味過甘也或作⿱艹飲 凵

張口皃 顑 食不飽也 ○憾感 胡紺切恨也或省文十五 琀含 說文送死口中玉也通作含 唅 博雅噞也一曰

哺也 涻 泥皃 ⿰月臽⿰豸臽 食肉不猒也或从豸 蜭蛤 毒蟲名或从含 荅 禾欲秀皃 顑 頷顑頭面不平

顑 臨火气也 ⿱甚䖵 蟲名食桑食瓜者 睔 目深皃 ○顑顑 呼紺切不飽而面黃也或作顑文十 ⿰食感

食不飽也戇愚也⿰貝甘賧⿰貝甘貪財也一曰戲乞苷艸名甘蚶蟲名食桑食瓜者⿰月臽食肉不猒酣飲酒未旣

顑臨火气也○紺古暗切說文帛深青揚赤色文十七灨水名一曰邑名在豫章通作淦贛艸名薏苡也⿱髟甘

髮青紺色甘土之味倃倃儋無儀⿰氵⿵門甘水大至也黚博雅黑也淦泠說文水入船中也一曰泥也或作泠嵗

嵐嵗山名詌口閉䳺鳥聲醰酒味淫也贛贛榆縣名在東海揞揜也○暗晻烏紺

切說文日無光也或从奄通作闇文十醃藏葅也闇說文閉門也韽鐘聲小也暗暗醷聚氣皃⿰氵闇

水大至也揞揜也⿰言酓諳背誦或作諳○儑五紺切傝儑不自安也文二顑首骨高皃○傪

蘇紺切儋傪老無宜適一曰癡皃文三顡搖首皃惏憛惏憂惑也○謲七紺切相怒使也一曰伺也文十

參傪餕鼓曲也後漢禰衡爲漁陽參撾或从人从食畛田隴相聯也慘憂慼也驂騑也

鏒鋤也嗲聲也磛磛磹電光○篸䉌撍作紺切綴也或作䉌撍文三○馻丁紺切馬

睡皃文十二酖頑劣皃䇖竹名𡖍多也肬肬䏺短醜皃頷頷䫲頭皃沊沊沊水聲鴆

鴆𪃬鳥名或从冬从井䫲䫲頷癡皃忱冠俯前也○僋他紺切僋俫老無宜適也一曰癡皃文十三撢

探說文探也或作探𦟛食美也憛惏博雅思也一曰憛惏憂惑也一曰徨遽也一曰禍福未定意或作惏

誩競言傝傝儑不自安一曰無恥也㵄⿰氵貪浮皃或从貪黮黮闇不明皃貪多欲也㐁無光

一曰舌出皃○醰徒紺切說文酒味苦也文十五𦟛食美也一曰腤𦟛肥皃⿰甘覃譚甘也瞫博雅下視也⿰貝覃

⿰貝僉償物預授直也或从僉潭沒也䘐羊凝血也或作䘐磹磛磹電光霮从雨也糟糟糦淳也一曰淳糜

撢探取也潭擊水聲醰酒味淫也○顲郎紺切面色顲黄皃文三僋僋儋俫癡皃淰水浮謂之淰

○⿰女甘莫紺切女老稱文一○妠婻奴紺切女字一曰取也入也或作婻文七婻美皃一曰小肥䏙柔革也餂餌也

腤腤𦟛肥皃搯魚食皃○靲其闇切竹篾也文一○𢹀組紺切舉也文一○㛰辱紺切淮南呼

毋一曰媞也文一

五十四○闞苦濫切說文望也一曰邑名在魯又姓文十四瞰矙𥊍視也或从闞从嚴喊⿰口感

五十四○闞 瞰 矙 瞯

嚂呵也亦从感从監 䶠味苦也 ⿰扌虎說文虓屬一曰怒也 矙日出皃 贑贛擊鼓也或从夊 嵌岸歌峻

監地名在東平郡 ○憨下瞰切愚也文四 譀誌說文誕也一曰調也或从忘 獥犬聲 ○歛呼濫切博雅欲也予

也文十二 蘫瓜葅也 ⿰扌虎說文虓屬一曰虎怒皃 憨愚也 譀誌博雅調也或从忘 獥犬吠 ⿱監几⿱監缶大盎或从

缶 頷煩頷癡皃 ⿰月臽食肉不厭 ⿱甚虫蟲名食桑食瓜者 ○𪉨古䁪切𪉨𪊃無味文六 䶠⿰鹵感味過䶠或从感通作𪉨

橄橄欖果也 澉味薄也 錎鑪屬 ○三蘇暫切參之也論語三思而後行文四 ⿰巾三衣敝皃 㣓㣓㣓行皃 鬖

長毛皃 ○暫昨濫切說文不久也通作蹔文五 鏨說文小鑿也 ⿱斬食無味也 𨗮說文進也 蹔疾進也 ○擔

檐⿱㚘詹都濫切負也或从木亦作⿱㚘詹文六 甔儋罌也或作儋 㾪癡皃 ○憺惔倓徒濫切動也漢書威稜憺

乎鄰國一曰安也或从炎从人文十七 啗餤嚪噉說文食也或作餤嚪噉 ⿰月炎博雅肉也一曰相飲也 啖誑也噍也

淡薄味也 澹說文水搖也一曰澹林東胡名 霮䨴雲皃䨴謂之霮霮䨴或作黮 䘓羊血凝也 ⿱竹淡竹名 誩字林競言也

郯國名 ○賧倓吐濫切夷人以財贖罪也或作倓文十二 睒候視也 ⿰虫炎蚒⿰虫炎獸吐舌皃 𪉨⿰鹵炎𪉨𪊃無味也或

大二十二 小六百十

从炎 澉味薄也 ⿱穴淡⿱穴監⿱穴淡深穴 ⿰目占候視 埮壏埮地平而長 舑⿰舌炎舚舑吐舌皃或从炎 ○濫灠盧瞰切說

文氾也一曰濡上及下也引詩觱沸濫泉一曰清也或作灠文十七 懢貪也 㜮⿰女覽說文過差也引論語小人窮斯㜮矣或从覽 ⿰酉監說

泛齊行酒也 嚂貪也一曰食皃 纜維舟 ⿰監刂廣雅利刀也 爁火行也 ⿱穴監⿱穴監⿱穴淡深穴 壏壏埮地平而長 藍

蘫酸葅或从濫 欖橄欖果名 ⿱髟監⿱髟監鬖長毛 ⿰貝監⿰貝監貪財也 ○鑑濫⿱監缶⿱監瓦胡暫切陶器如甀大口以

盛冰周禮春始治鑑或从水亦作⿱監缶⿱監瓦文五 熑餅中肉 ○涔仕濫切窪也文一 ○⿰兔瓦乂濫切瓦器文二 甔罌也容一石

五十五 ○豔艷閻以贍切說文好而長也从豐豐大也引春秋傳美而豔隸作艷或作閻文二十 爓焰炎

燄燩火光或作焰炎燄燩 ⿰炎占火行也 燚燚燚火盛皃 掞⿰扌燚掞舒也或从燚 鹽以鹽漬物一曰歆艷之也禮流

示之禽而鹽諸利 灩瀲灩水動皃 擔假也禮記擔主也 瞻矖也 淡水皃 淫巴東有淫預石通作灩 ⿰炎攴以手散物 㜗

女字 ○厭猒懕於豔切足也或省亦作懕文十 ⿰禾厭禾不實也 ⿰示厭禳祭 饜飫也通作厭猒 壓伏也 酓酒盈

量也 嬮女字一曰嬮𡢻美皃 ⿰忄弇快也 ○⿰忄弇於贍切快也文十九 ⿰忄奄博雅愛也一曰忘也 ⿰禾奄稻不實 俺大也 ⿰木奄

檶㯿木名 奄 精氣閉藏也周禮奄人劉昌宗讀 厭 服也 弇 鍾形中央寬也周禮弇聲鬱劉昌宗讀 掩 𦃃 繅絲以手振出緒也
或从糸通作淹 䛇 方言誣䛇與也猶阿與也一曰巽也匿也謗也言輕也 裺 方言裺謂之襦一曰緣也一曰衣寬皃 淹 没也 媕 說文
誣拏也一曰女字 䶣 㛪 裺 褕 汚黷也或作䶣㛪裺 䎨 斂羽 ○ 塹 壍 嶃 七豔切說文阬也一曰大也或
作壍塹文五 槧 牘樸 嫸 嫛嫸美皃 ○ 潛 慈豔切藏也一曰伏流文二 䁮 閉目思也一曰憂也 ○ 嚵 子豔切嚵啞不廉也
文四 漸 漸如溼皃 𩅰 小雨 䤕 面包 ○ 閃 舒贍切闚頭也文九 𢓜 佔𢓜行皃 煔 炶 熌 說文火行也或作炶熌
掞 撊 舒也一曰疾動或从閃 苫 茨屋也 睒 視遠皃 ○ 襜 幨 裧 昌豔切披衣也或从巾从炎文十二 韂
韍也通作襜幨 韂 馬障泥也 壛 蔽也 𤗻 屋檐耑版也 𨆷 馬急行也 𨵛 視皃 𨼆 陷也 䀡 竊視也 𤵸 皮起
皃 ○ 占 章豔切固有也文五 佔 佔𢓜行皃 壏 蔽也 𩂻 小雨 瞻 視也 ○ 贍 𩟗 儋 澹 時豔切賙
也或从食从人亦作澹文八 𢕟 𨘻 行速皃或从辵 嶦 山阪 擔 假也禮記擔主 ○ 染 而豔切漬色也文四 𩃴 沾也 䛁
字林言多不盡 髯 須也 ○ 覘 貼 敕豔切說文窺也引春秋傳公使覘之或从目文三 㓠 刻使薄也

集韻去聲八 四十 正

五十六 ○ 栝 栖 㮇 他念切說文炊竈木或从西从忝文十五 丙 㐁 𦧷 舑 舔 說文
舌皃古作㐁亦作𦧷舑舔丙 䉆 一曰席也無光也竹上皮也 𤈦 煔 火行也或从占 添 益也 忝 辱也 菾 艸木長茂皃 䧲
亭名在京兆 蚦 蚦蛺獸吐舌皃 ○ 店 都念切停物舍也文二十三 頕 垂首也 坫 說文屏也一曰反爵亢圭處 點
郭璞曰以筆滅字爲點通作沾玷 沾 水出上黨壺口關一曰縣名在樂平 痁 痎病 𦈢 說文缺也謂器之缺 㓠 說文缺也引詩白圭之㓠
墊 埝 坫 說文下也引春秋傳墊隘或作埝坫 𩃵 𩅹 說文寒也一曰早霜而寒謂之𩃵或从土 姑 女皃 𦒷 說文老人
面如點也 貼 目垂皃 殿 㕃 唸 歛 殿屎呻吟也或作㕃唸歛 玷 玉病 㝪 𡫸 說文屋傾下也一曰厭也或从土
○ 磹 徒念切䃞磹電光文七 㼭 楮也通作磹 𢔝 䃞磹行皃 居 所以止動也 脸 博雅美也 簟 說文竹席也 驔
驪馬黃脊 ○ 稴 歷店切稴䆵禾不實皃一曰稻不黏者文三 𤬫 瓜子也 㔋 小也 ○ 念 念 奴店切說文常思也又姓古作念文
七 𦁄 引舟繩也 𥳫 𥶄 竹索或从絵 棯 木名棗屬 𨡬 消也 ○ 兼 㨘 吉念切并也古作㨘文七 𩪘 瘦皃
鮎 魚名 鰜 魚名 艥 舟名 趝 俯首疾行 ○ 傔 詰念切侍從也文四 鰜 魚名大而青 歉 說文歉食不滿也 𥳽

𩹉魚名 鰜魚名 䭑名 趝疾行 ○慊恨也 鰜 魚名 兼

繚引也 䥥 䥥 竹名 㭠 木名 溓 西 ○ 兼 鰜 古念切 兼 一 古念切

文 黃鼠 ○ 稴 稴 一曰稻不黏 稴 稴 一 ○ 念 念 念 也 文 丁念切

○ 磹 磹 電光 ○ 堨 堨 作 橝 橝 屋 居 動也 以 止 幐 幐 贉

霑 面也 如 貼 視 日 垂 殿 殿 念 念 戾 堨 磹 一 曰 王 甋 宕 甋 一 曰

墊 埝 阽 沾 念 霍 㚌 店 㕁 站 店 古 㑑 㘰

京兆 在 坫 店 ○ 店 頭 㑑 店 佔

吉 曰 見 㕁 ○ 湉 湉 添 西 㑑 甜 舔

五十六 ○ 栝 栖 桥 西 㑑 㑑

集韻 去聲八 四十

髻 髪 ○ 覘 𣁧 ○ 沾

也 懦 瀸 覘 赧 ○ 𥓌 𥓌 㑑

○ 占 譫 沾 熾 㶠 㶠 閤 占 㔊

誕 楥 㥑 苫 㥑 㑑 㑑 㑑 㑑 㑑

漸 霑 靨 ○ 閃 ○ 𩈂 𩈂 閃 ○ 㬤

㯹 橥 暫 ○ 湛 𢯊 𡗺 暫 一 ○ 𩒟 暫

遍 揜 揜 揜 揜 ○ 暫 蹔 一

諳 揜 揜 掩 暫 渰 淹

奄 庵 弇 掩 掩

籠也○醶𩛩於念切苦也或作𩛩文二○䃸先念切䃸磹電光文三[彳韱]僊[彳韱]行皃[禾韱]稴[禾韱]禾不實皃○僭朁
子念切說文假也古作朁文四譖不信也通作僭[目朁]閉目思也一曰憂也
五十七○驗魚窆切說文馬名也文十二釅醶說文酢漿也或从嚴噞字林噞喁魚口出水皃譣
獫博雅證也或作獫通作驗嚴酷也价俺价癡也[氵嚴]寒也[齒兼][齒嚴]齒差也或从嚴[齒僉]說文齒也○窆[穴朋]
封陂驗切說文葬下棺也引周禮及窆執斧或作[穴朋]封文五砭[石巳]說文以石刺病也或从巳○黏女驗切黏也文一○斂力驗
切聚也文十二殮衣死也瀲泛斂波也[雨斂]小雨也爁爁焱火延[貝僉]市先入直謂之[貝僉]獫長喙犬名[木斂]梒[木斂]
木也葉可爲飲蘞艸名似栝樓[火斂]火也[氵僉]博雅清也羷羊角三卷曰羷○脅虛欠切迫也文六[扌脅]引從也[脅女]
好皃熁火乾也[走僉]走皃[革僉]胡被○欠[欠欠]伙去劒切說文張口气悟也从人上出之形一曰不足也古作[欠欠]或从伙文七
闞小開戶也[僉攵]匧閒也[瓦僉]陶器小瓶有耳者[竹欠]竹名○[瓦僉]巨欠切陶器或書作[瓦欠]文一○劒劍居欠
切說文人所帶兵也或从刀俗作劔非是文三[艹劒]藥艸俗呼蜀夜于治喉病○獫力劍切爾雅犬長喙名文一○僉七劍切皆也文一

集韻去聲八　四十一　安

○[疒冊]式劍切皮破文二閃闚頭也
五十八○陷埳乎韽切說文高下也一曰陊也或从土文十七䶬怒齒也臽欿說文小阱也或从穴[犭臽]
犬聲[金臽]連鏁也[魚臽]說文魚名[肉臽]說文食肉不猒也[魚臽]魚名山海經留水多[魚臽]父之魚其狀如鮒而彘身[食兼]餅中豆[食兼]
[肉兼][食兼][食監]餅中肉或从食从監[石臽]石名[氵兼]沈物水中使冷○歉口陷切博雅貧也一曰食不滿文五[目咸]目陷
[虎兌]虎怒皃[革兼]物相值合[兼頁]顆顑面長○[兼頁]公陷切[兼頁]顑面長文四[糸咸]棺旁所以繫繂者減咸損去也史
記減仲之産又姓亦省○韽韽於陷切下聲也或从龠文五[犭音]犬聲[氵臽]寳中[氵臽][氵臽]水淖一曰没也[扌音]弃也吳俗云○
獑午陷切兩犬爭一曰犬吠不止文一○蘸莊陷切說文以物没水也文七[斬見][斬見]儳高危[犭焦]獸名[艹焦][氵臽]蘸溼皃斬芟也
[雨僉]小雨[瓦兼]布瓦於屋也○[齒占]陟陷切鹹也文五站佔久立也或从人[齒占]別齒也沮江岸地名○賺
直陷切廣雅賣也一曰市物失實文三詀謙被誑也或从兼○諵尼賺切諵諛私詈文二[雨南]雨淖也○鑑力陷切[鑑]
[髟兼]頭長文一○[齒嚴]五陷切[齒嚴][齒嚴]齒皃文二[咸頁]顆顑面長

五十七○驗

五十八○陷

五十九○𤮍鑑 胡懴切博雅甇瓨𤮍也可以盛水或从金文五 𤅶 沈物水中使冷也 𣠽槧 櫝也或省亦書作檻

○𠑽 許鑒切𧢈𠑽高危也文六 譀 誕也 㺖 犬吠聲一曰鄉名 闞 獸怒聲 㰹 叫也 憨 怒也 ○鑑 居懴切說文大盆也一曰鑑諸可以取水於月或書作鑒文六

監𧦝 臨也古作𧦝 𥈶 視也通作監 𠟭 博雅利也 𤅶 沈物水中使冷也

○黬 乙鑑切忘而息也文一 ○湴𣾴 薄鑑切泥淖也或从𣾴文三 𦟛 膚肉踈皃 ○𧢈 子鑑切𧢈𠑽高危皃文三 [illegible] 長面

䨢 小雨 ○釤 所鑒切大鎌也文七 𢒉 暫見也 𢒄 相接物也一曰利也 𠜊 刈也 𤝞 犬毛也 槮 接檐也 纔 雀頭色

○懺讖 义鑒切悔也或从言文十三 儳 儳互不齊也 𨽍 陷也 𤮬 罌也 𤬪 埤倉乾瓦屋也 摲 投也芟也或書作摲

㺖 犬吠聲 嚵 嘗食 䀡 竊視 饞 貪食 𤺞 病也 𨇊 行皃 ○鑱 仕懴切鋭也文二十 𩏂 鞴也

𩯠 鬆皃 𨇊 行皃 纔 染帛雀頭色 㺥 犬容頭進 𤚥 牛角皃 𪘂 齞齵齒皃 𩕢 𩕢頭長 𤮬 大盎以盛潘者

欃 字林水門也或作艬 𣄆 傍掣 攙 完補也一曰傍掣 艬 舟名 𨽍 陷也 讒 譖也 𪇆 鶘屬 儳 輕賤皃一曰儳互不齊也一曰蹔也

摲 投板偃水曰摲 涔 水涯 ○儳 才鑒切蹔也周禮廛人掌斂儳布徐邈讀一曰輕賤皃文一 ○儳 蒼鑒切蹔也文一

大九十六 小四百八十

六十○梵 扶泛切西域種號出浮圖書文六 帆 舟幔也通作颿 颿 博雅颿颿走也一曰馬疾馳 𤬣 瓦也 訉 多言

𠆩 相輕薄皃 ○泛 孚梵切說文浮也文十三 汎 說文浮皃 氾 說文濫也 𠆩 相輕薄皃 𡚬 好皃 𥂖 𥁰 鋄

釩 博雅盞盌杯也或作𥂖鋄釩 芝 艸浮水上皃 帆 颺也杜預曰拔旆投衡上使不帆風差輕 渢 中庸聲春秋傳渢渢乎徐邈讀 岴 山名

○菱 亡梵切博雅也艸木蕪蔓也文一

集韻卷之八

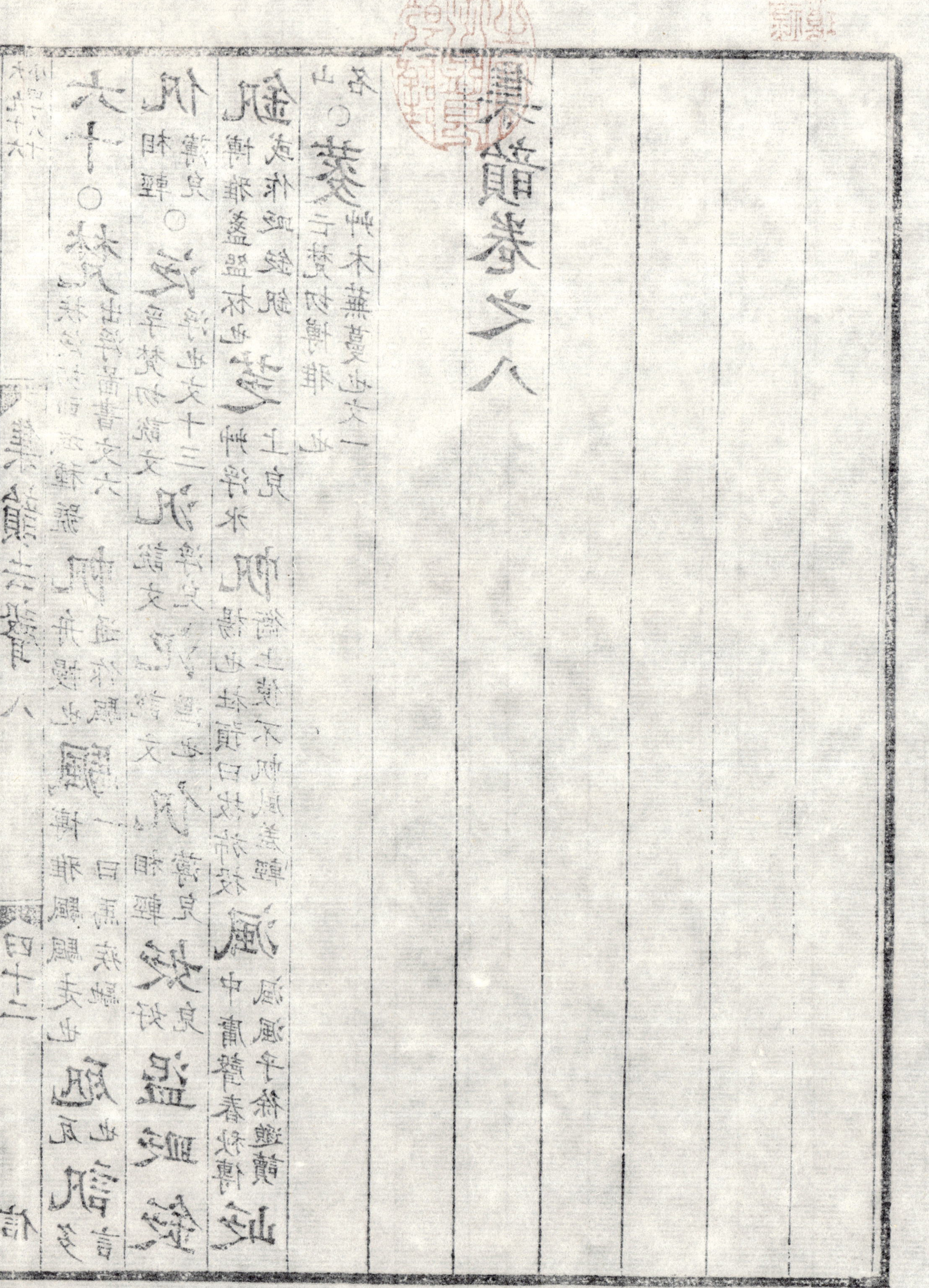

集韻卷之八

名山 ○ 菱 丁木剡切博雅菱華葼也文一 帆 … 颿 … 嵌 …

鉳 … 或作鈚 … 帆 … 泛 … 汎 …

帆 相輕 ○ 汎 浮也文十三 汎 說文浮皃 … 颿 … 汎 …

六十 ○ 梵 … 凡 … 颿 … 颿 … 颿 … 颿 言 …

集韻卷之八　四十二　信

日擊也一 … 儳 … 攙 … 水日樹儳 … 儳 … ○ 儳 … 讒 … ○ 讖 …

攙 … 鑱 … 巉 … 嶃 … 巖 … 讒 … 鑱 …

巉 … 鑱 … 攙 … 嶄 … 鑱 … 饞 … 鑱 …

書作 … 讖 … 矚 … 饞 … 儳 … 孅 …

雀頭 ○ 攙 … 言文十三 … 儳 … 嶄 … 巉 … 孅 …

面 ○ 纔 … 目 … 占 … 劍 … 攙 … 鑱 …

○ 點 … ○ 泛 … 漸 … ○ 顩 …

以 … 說文 … 監 … 覽 … 鑑 … 檻 …

檻作 ○ 儉 … 譣 … 檢 … 闞 … 瞰 … ○ 鑑 …

五十九 ○ 鑑 … 鑑 … 檻 … 濫 … 檻 …